O Príncipe

O livro é a porta que se abre para a realização do homem.

Jair Lot Vieira

Nicolau Maquiavel

O Príncipe

TEXTO INTEGRAL

TRADUÇÃO DE LÍVIO XAVIER

4ª EDIÇÃO

Copyright desta edição © 2015 by Edipro Edições Profissionais Ltda.

Todos os direitos reservados. Nenhuma parte deste livro poderá ser reproduzida ou transmitida de qualquer forma ou por quaisquer meios, eletrônicos ou mecânicos, incluindo fotocópia, gravação ou qualquer sistema de armazenamento e recuperação de informações, sem permissão por escrito do editor.

Grafia conforme o novo Acordo Ortográfico da Língua Portuguesa.

4ª edição, 7ª reimpressão 2025.

Editores: Jair Lot Vieira e Maíra Lot Vieira Micales
Coordenação editorial: Fernanda Godoy Tarcinalli
Tradução: Lívio Xavier
Editoração: Alexandre Rudyard Benevides
Revisão: Francimeire Leme Coelho
Arte: Karine Moreto Massoca

Dados Internacionais de Catalogação na Publicação (CIP)
(Câmara Brasileira do Livro, SP, Brasil)

Maquiavel, Nicolau, 1469-1527.
  O príncipe / Nicolau Maquiavel ; tradução de Lívio Xavier.
  4. ed. – São Paulo : Edipro, 2015. (Série Clássicos Edipro)

  Título original: Il principe.
  ISBN 978-85-7283-904-4 (impresso)
  ISBN 978-85-521-0056-0 (e-pub)

  1. Política I. Título II. Série.

94-2373   CDU-320

Índices para catálogo sistemático:
1. Ciência Política : 320
2. Política : 320

São Paulo: (11) 3107-7050 • Bauru: (14) 3234-4121
www.edipro.com.br • edipro@edipro.com.br
@editoraedipro @editoraedipro

SUMÁRIO

Nicolau Maquiavel: O homem		7
A produção político-literária de Maquiavel como expressão de seu tempo		9

O PRÍNCIPE

Nicolau Maquiavel ao Magnífico Lourenço de Médici		13
CAPÍTULO I	De quantas espécies são os principados e dos modos de conquistá-los	14
CAPÍTULO II	Dos principados hereditários	14
CAPÍTULO III	Dos principados mistos	15
CAPÍTULO IV	Por que razão o reino de Dario, ocupado por Alexandre, não se rebelou contra os sucessores deste após a morte de Alexandre	22
CAPÍTULO V	Da maneira de conservar cidades ou principados que, antes da ocupação, se regiam por leis próprias	24
CAPÍTULO VI	Dos principados novos que se conquistam pelas próprias armas e valor	26
CAPÍTULO VII	Dos principados novos que se conquistam com armas e a fortuna de outrem	29
CAPÍTULO VIII	Dos que alcançaram o principado pelo crime	35
CAPÍTULO IX	Do principado civil	38
CAPÍTULO X	Como se devem medir as forças de todos os principados	41

CAPÍTULO XI	Dos principados eclesiásticos	43
CAPÍTULO XII	Dos gêneros de milícia e dos soldados mercenários	45
CAPÍTULO XIII	Das tropas auxiliares, mistas e nativas	50
CAPÍTULO XIV	Dos deveres do Príncipe para com suas tropas	53
CAPÍTULO XV	Das razões por que os homens, e especialmente os Príncipes, são louvados ou censurados	55
CAPÍTULO XVI	Da liberalidade e da parcimônia	57
CAPÍTULO XVII	Da crueldade e da piedade e se é melhor ser amado ou temido	59
CAPÍTULO XVIII	De que forma os Príncipes devem manter a palavra	61
CAPÍTULO XIX	De como se deve evitar o ser desprezado e odiado	64
CAPÍTULO XX	Se as fortalezas e muitas outras coisas que dia a dia são feitas pelo Príncipe são úteis ou não	72
CAPÍTULO XXI	O que a um Príncipe convém realizar para ser estimado	76
CAPÍTULO XXII	Dos ministros dos Príncipes	79
CAPÍTULO XXIII	De como se devem evitar os aduladores	81
CAPÍTULO XXIV	Por que os Príncipes da Itália perderam seus Estados	82
CAPÍTULO XXV	De quanto pode a fortuna nas coisas humanas e de que modo se deve resistir-lhe	84
CAPÍTULO XXVI	Exortação para tomar e livrar a Itália das mãos dos bárbaros	86
APÊNDICE	Carta de Maquiavel a Francisco Vettori	91
MAPA	Itália em 1500	95

NICOLAU MAQUIAVEL
O homem

Nascido em Florença em 3 de maio de 1469, Nicolau Maquiavel descende do ramo pobre da nobreza toscana. Filho de advogado, leu os clássicos na juventude, especialmente os latinos e os italianos.

Maquiavel desempenhou cargos públicos, desde os menos significativos, como os que de início executou na chancelaria, até o de Segundo Chanceler da República. Administrou os negócios e as relações externas, executando as decisões dos *ottimati*. Como assessor de embaixadores, viajou para a França de Luís XIII; na mesma função, conheceu César Bórgia, o poderoso *condottieri*, filho do papa Alexandre VI, que o inspirou na criação de *O Príncipe*.

Acreditava na necessidade da justiça e das armas como garantia dos Estados e dos governantes. Essa crença o levou a envolver-se nas questões florentinas relacionadas com as cidades vizinhas.

Em 1513, com o retorno dos Médici ao poder, Maquiavel, acusado de sedição, foi preso e torturado. No exílio, em San Casciano, encontrou as condições para escrever *O Príncipe*, dedicando-o ao ilustre filho da casa dos Médici, Lourenço II, o Magnífico.

De sua vida pessoal sabe-se que se casou com Marietta Orsini em 1501, com quem teve cinco filhos. A fidelidade conjugal de Maquiavel pode ser percebida por meio da composição da comédia *Clízia*, sob a inspiração da cantora Bárbara, com quem manteve um romance.

Faleceu em 21 de junho de 1527.

A PRODUÇÃO
POLÍTICO-LITERÁRIA DE MAQUIAVEL COMO EXPRESSÃO DE SEU TEMPO

A ÉPOCA

O fim do século XIV e o início do século XV marcam um momento de profundas transformações no cenário europeu. O eixo econômico, em virtude da queda de Constantinopla em 1453, sai do Mar Mediterrâneo e volta-se para o Atlântico. Portugal, o cavaleiro do oceano, busca o novo caminho para as Índias. As monarquias nacionais fortes da Europa Ocidental, graças ao apoio burguês, exercitam um capitalismo mercantil que vai garantir a instalação dos impérios coloniais. As mudanças radicais nos campos econômico e político amparam-se em uma nova visão do mundo totalmente dessacralizada. O teocentrismo cede lugar ao antropocentrismo, humanista e contestador. O homem acredita em seu potencial e na razão. Tudo o que é real é racional; e, nessa concepção, o experimental, o técnico e o científico atropelam todos os conceitos de fé, de Deus e da Igreja.

A Itália, pulverizada, assiste, pasma, à fuga dos seus capitais, à perda de sua hegemonia e se entrega a lutas intestinas, onde as cidades-Estado não mais conseguem fazer valer sua condição de centro do mundo. A presença da Igreja, centralizadora, bloqueia seu rompimento com os padrões medievais, impedindo sua incursão nos tempos modernos. Sua grande glória, nesse momento, é ser o berço da mais extraordinária produção artística e literária que se derramaria por toda a Europa, produção essa conhecida como Renascimento.

Nesse ambiente de ebulição, atraído pelas estrelas e empurrado pelos fantasmas que o levaram ao confinamento, em sua propriedade, em São Casciano, Nicolau Maquiavel produziu sua obra.

A OBRA

As questões internas de sua Florença criaram em Maquiavel uma necessidade: organizar uma milícia nacional.

Assim, no ano de 1506, escreve o *Discurso sobre a Preparação Militar Florentina,* onde exalta a justiça e as armas; nele relaciona religião com ideologia e enfatiza o fato de a religião ser um fator de obediência.

No exílio escreve o *Discurso sobre a Primeira Década de Tito Lívio,* obra estritamente científica; o poema *O Asno*; o conto *O Demônio que se Casou;* e a comédia teatral *A Mandrágora* (obra-prima do teatro italiano).

Em 1520 redige *A Arte da Guerra* (diálogo). Como historiador oficial da República escreve um *Discurso ao Papa Leão X.* Escreve também a obra *Histórias Florentinas,* em oito volumes, oferecida ao papa Clemente VII. Ambos os papas eram da família Médici.

O PRÍNCIPE

Os três meses que passou em companhia de César Bórgia, em missão no fim do ano de 1502 e início de 1503, representaram para Maquiavel uma prática política que o inspiraria em sua obra mais discutida e que venceu o tempo. Vê no *condottiere* um homem providencial, capaz de unir a Itália, preservando-a das intervenções estrangeiras. Acredita, como Cícero, que a história é mestra da vida, especialmente dos governantes. Portanto, as paixões humanas devem ser conhecidas e controladas, e aqueles que se rebelam devem ser punidos. Germina, pois, parte de sua produção teórica.

Revoluciona a história das teorias políticas saindo da especulação filosófica. Seu universo mental caminha em outra direção. Afasta-se da escolástica medieval e, dentro do espírito renascentista, observa a sociedade pela análise efetiva dos fatos humanos. Não se preocupa com o Estado ideal, mas com as causas que o levam a existir, desenvolver-se, decair. Ainda que empiricamente, duas coordenadas se definem: uma filosofia da história e uma explicação da psicologia humana. Conclui que os homens são egoístas e ambiciosos, e que só a lei os coage. Reflete sobre a fortuna e a virtude, optando, no campo político, por aconselhar atenção aos sinais da fortuna, pois, caso contrário, se conhecerá a ruína. A ordem na organização do Estado é o seu núcleo. Contudo, não há ordem ideal com validade absoluta.

O povo é uma matéria cuja forma resulta de uma determinada situação social. Cabe ao fundador do Estado captar o momento e dispor a forma desejada. O homem, fundador do Estado, deve ser incomum. Sua condição ímpar faculta-lhe o uso de meios extraordinários. Não deve ser um tirano, mas tem de ser suficientemente forte para plasmar a ordem e a coesão social.

Há uma grande diversidade na interpretação de *O Príncipe*. Sem dúvida, representa uma extraordinária contribuição à história das ideias. A profundidade de suas reflexões tem servido às mais antagônicas correntes de pensadores e líderes.

O homem a quem Maquiavel dedicou a obra, Lourenço II da casa dos Médici, pouca importância deu ao presente. Quinhentos anos depois, aí está *O Príncipe*, utilizado como manual de prática política e, à má-fé de alguns, servindo como justificativa de atos, no mínimo, amorais.

O PRÍNCIPE

Nicolau Maquiavel
ao Magnífico Lourenço de Médici

As mais das vezes, costumam aqueles que desejam granjear as graças de um Príncipe trazer-lhe os objetos que lhes são mais caros, ou com os quais o veem deleitar-se; assim, muitas vezes, eles são presenteados com cavalos, armas, tecidos de ouro, pedras preciosas e outros ornamentos dignos de sua grandeza. Desejando eu oferecer a Vossa Magnificência um testemunho qualquer de minha devoção, não achei, entre os meus cabedais, coisa que me seja mais cara ou que tanto estime quanto o conhecimento das ações dos grandes homens apreendido por uma longa experiência das coisas modernas e um contínuo estudo das antigas, o qual, tendo eu, com grande diligência, longamente cogitado, examinando-os, agora mando à Vossa Magnificência, reduzidos a um pequeno volume.

E conquanto julgue indigna esta obra da grandeza de Vossa Magnificência, estou seguro que graças à sua humanidade será bem acolhida e aceita, considerando que não lhe posso fazer maior presente que lhe dar a faculdade de poder em tempo muito breve apreender tudo aquilo que, em tantos anos e à custa de tantos incômodos e perigos, conheci. Não ornei esta obra, nem a enchi de períodos sonoros ou de palavras empoladas e floreios ou de qualquer outra lisonja ou ornamento extrínseco com que muitos costumam descrever ou ornar as próprias obras, porque não quis que coisa alguma seja seu ornato e a faça agradável senão a variedade da matéria e a gravidade do assunto. Nem quero que se repute presunção o fato de um homem de baixo e ínfimo estado discorrer e regular sobre o governo dos Príncipes; pois assim como os que desenham os contornos dos países se colocam na planície para considerar a natureza dos montes e sítios elevados *e, para observar a das planícies, ascendem aos montes, assim também para conhecer bem a natureza dos povos é necessário ser Príncipe e, para conhecer a dos Príncipes, é necessário ser do povo.*

Acolha, pois, Vossa Magnificência este pequeno presente com o mesmo espírito com que eu o mando. Se esta obra for diligentemente considerada e lida, Vossa Magnificência conhecerá o meu imenso desejo que alcance aquela grandeza que a fortuna e outras qualidades lhe prometem. E se Vossa Magnificência, do ápice de sua altura, alguma vez volver os olhos para baixo, saberá quão injustamente suporto uma grande e contínua má sorte.

CAPÍTULO I

DE QUANTAS ESPÉCIES SÃO OS PRINCIPADOS E DOS MODOS DE CONQUISTÁ-LOS

Todos os Estados, todos os domínios que exerceram e exercem poder sobre os homens, foram e são repúblicas ou principados. Os principados ou são hereditários, cujo senhor é Príncipe pelo sangue, por longo tempo, ou são novos. Os novos são totalmente novos, como Milão com Francesco Sforza, ou são como membros incorporados a um Estado que um Príncipe adquire por herança, como o reino de Nápoles ao rei da Espanha. Esses domínios assim adquiridos ou estão acostumados à sujeição a um Príncipe, ou são livres, e são adquiridos com tropas de outrem ou próprias, pela fortuna ou pelo mérito.

CAPÍTULO II

DOS PRINCIPADOS HEREDITÁRIOS

Não tratarei das repúblicas, pois em outros lugares falei a respeito delas.[1] Referir-me-ei somente aos principados, e procurarei discutir e

---

1. Maquiavel refere-se aqui à sua obra *Discurso sobre a Primeira Década de Tito Lívio*.

mostrar como esses principados hereditários podem ser governados e mantidos. Digo, assim, que, nessa espécie de Estados afeiçoados à família de seu Príncipe, são muito menores as dificuldades de mantê--los do que nos novos, pois basta somente que não seja abandonada a praxe dos antecessores, e depois se contemporize com as situações particulares, de modo que, se tal Príncipe é de engenho ordinário, sempre se manterá em seu Estado, se não houver uma força extraordinária e excessiva que o prive deste; e, mesmo que assim seja, o readquire, a qualquer adversidade que sobrevenha ao ocupante.

Temos na Itália, por exemplo, o duque de Ferrara, o qual resistiu ao ataque dos venezianos em 1484, e aos do papa Júlio em 1510, somente por ser antigo o domínio da sua família. Porque o Príncipe natural do país tem menores ocasiões e menor necessidade de ofender. É claro, pois, que seja mais querido. Se extraordinários defeitos não o fazem odiado, é razoável que seja naturalmente benquisto da sua gente. E na antiguidade e continuação do domínio gastam-se a memória e as causas das inovações, pois uma transformação poderá ser sempre acompanhada da edificação de outra.

CAPÍTULO III

Dos principados mistos

Mas a dificuldade consiste nos principados novos. Primeiro, se não se trata de principado inteiramente novo, mas sim de membro ajuntado a um Estado hereditário (caso em que este pode chamar-se principado misto), suas variações nascem principalmente de uma dificuldade comum a todos os principados novos, a saber, que os homens mudam de boa vontade de senhor, supondo melhorar, e essa crença os faz tomar armas contra o senhor atual. De fato, enganam-se e veem por experiência própria haverem piorado. Isso depende da necessidade natural e ordinária que faz com que um novo Príncipe precise ofender os novos súditos com sua tropa e por meio de infindas injúrias, que a nova aquisição exige.

Assim, são teus inimigos todos aqueles que se sentem ofendidos pelo fato de ocupares o principado; e também não podes conservar como amigos aqueles que te puseram ali, pois estes não podem ser satisfeitos como imaginaram e nem poderás usar contra eles remédios fortes, obrigado que estás para com eles. E mesmo que disponhamos de fortíssimos exércitos, necessitamos sempre do favor dos habitantes para entrar em uma província. Por isso, Luís XII, rei da França, ocupou Milão rapidamente e rapidamente a perdeu, bastando para isso as forças de Ludovico Sforza, pois a população que havia aberto as portas ao rei da França, caindo em si de seu engano quanto ao bem que esperava daquele Príncipe, não o pôde suportar. É bem verdade que, sendo conquistados pela segunda vez, só muito dificilmente o senhor os perde; o Príncipe, tendo por pretexto a rebelião, pouco hesita em assegurar a punição dos revoltosos, desmascarar os suspeitos e fortalecer-se em suas próprias fraquezas. Assim, para que a França perdesse Milão, bastara na primeira vez que o duque Ludovico ameaçasse as fronteiras, mas na segunda vez foi necessário que toda a gente se erguesse contra ela e que os exércitos franceses fossem aniquilados ou expulsos da Itália. Decorre isso das referidas razões. Não obstante, Milão foi-lhe tomada ambas as vezes. As razões gerais da primeira estão expostas; resta discorrer sobre as da segunda, e ver que remédios houvera a França de empregar para manter melhor a conquista.

Esses Estados conquistados e anexados a um Estado antigo, se são da mesma província e da mesma língua, são facilmente submetidos, sobretudo quando não estão acostumados a viver livres. Basta, para que se assegure a posse desses Estados, fazer desaparecer a linhagem do Príncipe que os dominava, pois mantendo-se nas outras coisas a condição antiga, e não havendo disparidade de costumes, os homens vivem calmamente. Assim se viu na França, no caso da Borgonha, Bretanha, Gasconha e Normandia,[2] e ainda que haja alguma dessemelhança na língua, os costumes são idênti-

---

2. A Normandia uniu-se à coroa da França em 1204; a Gasconha em 1453; a Borgonha em 1477, pela morte de Carlos, o Temerário; a Bretanha uniu-se virtualmente à coroa pelo casamento de Ana da Bretanha com Carlos VIII, pois cabia àquela a sucessão, por morte do último representante masculino da linha direta da casa reinante. Oficialmente, porém, foi anexada à coroa da França por ocasião do casamento de Cláudia, filha de Ana e Luís XII, com Francisco I.

cos, de sorte que esses Estados podem viver juntos muito facilmente. O conquistador, para mantê-los, deve ter duas regras: primeiro, fazer extinguir o sangue do antigo Príncipe; segundo, não alterar as leis nem os impostos. De tal modo, em um prazo muito breve, ter-se-á feito a união ao antigo Estado.

Mas, quando se conquista uma província de língua, costumes e leis diferentes, começam então as dificuldades, sendo necessária uma grande habilidade e boa sorte para poder conservá-la. Um dos meios mais eficazes seria o Príncipe habitá-la. Isso tornaria essa conquista mais segura e durável – que foi como agiu o Turco na Grécia, que mesmo havendo acatado todas as outras disposições a fim de preservar tal Estado, caso não houvesse nele ido residir, não teria podido conservá-lo. Se se está presente, veem-se nascer as desordens, e pode-se remediá-las com presteza; no caso contrário, só se terá notícia delas quando não houver mais remédio. Além disso, a província conquistada não será espoliada pelos lugares-tenentes. Os súditos ficarão satisfeitos com o mais fácil recurso ao Príncipe: assim, terão maiores razões de amá-lo, se é o caso, ou de temê-lo. Os ataques externos serão mais custosos, e o Príncipe só muito dificilmente perderá essa província.

Outro remédio eficaz é organizar colônias, em um ou dois lugares, as quais serão uma espécie de grilhões postos à província, pois é necessário fazer isso, ou ter lá muita força armada. Com as colônias não se gasta muito, e sem grande despesa podem ser feitas e mantidas. Os únicos prejudicados com elas serão aqueles a quem se tomam os campos e as casas, para dá-los aos novos habitantes. Mas os prejudicados, sendo minoria na população do Estado, e dispersos e reduzidos à pobreza, não poderão causar dano ao Príncipe, e os outros que não foram prejudicados deverão por isso aquietar-se, por medo de que lhes aconteça o ocorrido com os que se viram destituídos de seus campos e de suas habitações. Enfim, acho que essas colônias não custam muito e são fiéis; ofendem menos, e também os ofendidos não podem ser nocivos ao Príncipe, como se explicou anteriormente. Deve-se notar que os homens devem ser mimados ou exterminados, pois se se vingam de ofensas leves, das graves já não podem fazê-lo. Assim, a injúria que se faz ao homem deve ser tal que o impossibilite de se vingar.

Mas conservando, em vez de colônias, força armada, gasta-se muito mais, e tem de ser despendida nela toda a receita da província. A conquista torna-se, pois, perda, e ofende muito mais, porque prejudica todo o Estado com as mudanças de alojamento das tropas. Esses incômodos todos os sentem, e todos, por fim, tornam-se inimigos que podem fazer mal, ainda que derrotados na própria casa. Por todas essas razões, pois, é inútil conservar força armada, ao contrário de manter colônias.

Também em uma província diferente por sua língua, costumes e leis, faça-se o Príncipe de chefe e defensor dos mais fracos, e trate de enfraquecer os poderosos da própria província, além de guardar-se para que não entre por acaso um estrangeiro tão poderoso quanto ele.

Pois acontecerá sempre que os habitantes da província, movidos pela ambição ou pelo temor, chamem estrangeiros poderosos. Assim, os etólios chamaram à Grécia os romanos, que sempre foram introduzidos pelos naturais das províncias conquistadas.

E a ordem das coisas é que quando um estrangeiro poderoso chegue a uma província, todos aqueles que se acham enfraquecidos lhe deem adesão, movidos pela inveja do que lhes é senhor. Por isso mesmo, não custa trabalho algum lhes alcançar o apoio; e de boa vontade farão bloco depois com o Estado conquistado. Há o perigo de ficarem eles muito fortes e com demasiada autoridade; facilmente, então, se transformariam em árbitros da província, abatendo os poderosos com as próprias forças do conquistador. Aquele que não se dirigir bem, a esse respeito, perderá depressa sua conquista, e enquanto não a perder terá infindas dificuldades e dissabores.

Os romanos, nas províncias que conquistaram, observaram boa política a respeito. Fizeram colônias, preservaram os menos poderosos sem aumentar a força destes, abateram os mais poderosos, e não deixaram que os estrangeiros poderosos tomassem força. Sirva-me de exemplo a província da Grécia. Roma sustentou os aqueus e os etólios, abateu o reino dos macedônios, expulsou Antíoco. Mas nem os méritos dos primeiros e dos segundos permitiram-lhes aumentar seus domínios; também Filipe não persuadiu os romanos de que deviam ser seus amigos, nem a Antíoco deixaram conservar domínio algum. Porque os romanos nesses casos fizeram o que todo Príncipe prudente deve fazer: não só remediar o presente, mas prever os casos futuros e preveni-los com toda a perícia, de forma que se lhes possa facilmente levar corretivo, e não deixar que se aproximem os acontecimentos, pois desse modo o remédio não chega a tempo, tornando-se incurável a moléstia. Da tísica dizem os médicos que, a princípio, é fácil de curar e difícil de conhecer, mas, com o correr dos tempos, se não foi reconhecida e medicada, torna-se fácil de conhecer e difícil de curar. Assim se dá com as coisas do Estado: conhecendo-se os males com antecedência – o que não é dado senão aos homens prudentes –, rapidamente são curados; mas quando, por se terem ignorado, se têm deixado aumentar, a ponto de serem conhecidos de todos, não haverá mais remédio àqueles males.

Os romanos, vendo de longe as perturbações, sempre as remediaram e nunca as deixaram seguir seu curso, para evitar guerras, pois sabiam que a guerra não se evita, mas se é protelada redunda sempre em proveito de outros. Assim, empreenderam a guerra contra Filipe e Antíoco, na Grécia, para não ter de fazê-la na Itália; podiam tê-la evitado, mas não o quiseram. Não lhes agradava fiar-se no tempo para resolver as questões, como os sábios de nossa época, mas só se louvavam na própria virtude e prudência, porque o tempo leva por diante todas as coisas, e pode mudar o bem em mal e transformar o mal em bem.

Mas voltemos à França e examinemos como procedeu ela em situações semelhantes. Falarei de Luís[3] e não de Carlos,[4] por ser ele quem conservou por mais tempo possessões na Itália, e melhor nos deixa ver a medida de seus progressos. Vereis que ele fez o contrário do que se deve fazer para conservar a conquista de um Estado diferente. O rei Luís foi levado à Itália pela ambição dos venezianos, que quiseram, por esse meio, ganhar o Estado da Lombardia. Não quero censurar o partido tomado pelo rei. Quando tomou pé na Itália, e não tendo amigos nessa província, e antes pelo contrário, pelos precedentes do rei Carlos, sendo-lhe trancadas todas as por-

---
3. Luís XII.
4. Carlos VIII.

tas, foi ele forçado a ter as amizades que podia. E seria bem-sucedido na decisão tomada, se em outros manejos não tivesse praticado erro. Conquistada, pois, a Lombardia, o rei recuperou a reputação que Carlos perdera; Gênova cedeu, os florentinos tornaram-se seus amigos, o marquês de Mântua, o duque de Ferrara, Bentivoglio, a senhora de Forli, o senhor de Faenza, de Pescaro, de Rimini, de Camerino, de Piombino, os Lucchesi, os Pisani e Sanesi, todos foram ao encontro de sua amizade. Os venezianos puderam, então, considerar a temeridade da própria resolução, pois para adquirir dois tratos de terra, na Lombardia, fizeram o rei senhor de um terço da Itália. Veja-se agora quanto era fácil ao rei manter na Itália sua reputação, se, tendo observado as regras referidas, tivesse assegurado a defesa de todos aqueles amigos seus, os quais, sendo numerosos, necessitavam todos de estar com ele. Por meio de tais aliados, o rei Luís poderia facilmente assegurar-se contra aqueles que se tinham conservado fortes.

Mas logo que se achou em Milão, fez justamente o contrário, ajudando o papa Alexandre a ocupar a Romanha. Nem pensou que, com essa deliberação, enfraquecia a si próprio, pois afastava dele os amigos e aqueles que se lhe tinham lançado ao seio, e fortalecia a Igreja, ajuntando ao poder espiritual, que já lhe dá tanta autoridade, uma tão grande cópia de poder temporal. Cometido o primeiro erro, foi compelido a continuar praticando outros, a ponto de, para pôr termo à ambição de Alexandre e para que este não se tornasse senhor da Toscana, ser obrigado a vir pessoalmente à Itália. Não lhe bastou fortalecer a Igreja e perder os próprios amigos; por querer o reino de Nápoles, dividiu-o com o rei da Espanha. E de árbitro da Itália como antes, para aí levou um sócio ao qual os descontentes e ambiciosos recorressem contra ele próprio. E, em vez de deixar naquele reino um rei que lhe fosse sujeito, tirou-o para colocar um que o podia expulsar dali.

O desejo de conquistar é coisa verdadeiramente natural e ordinária, e os homens que podem fazê-lo serão sempre louvados e não censurados. Mas se não podem e querem fazê-lo de qualquer modo, é aí que estão em erro e são merecedores de censura. Se a França tinha forças para assaltar Nápoles, devia fazê-lo; se não podia, não devia dividi-la. E se a divisão que fez da Lombardia com os venezianos mereceu ser desculpada, pois com ela se instalou na Itália, a divisão de Nápoles merece censura, porque não tem a escusa da necessidade.

O rei Luís cometera estes cinco erros: tinha abatido os menos poderosos, aumentado a potência de um poderoso na Itália, trazido um estrangeiro poderosíssimo, não tinha vindo habitar a Itália e não mandou colônias para lá. Esses erros, durante sua vida, podiam não o prejudicar, se não tivesse cometido o sexto – o de se apoderar de territórios dos venezianos, pois, mesmo que não houvesse fortalecido a Igreja e não houvesse intrometido a Espanha nas coisas da Itália, era razoável e necessário debilitá-los. Mas, tendo tomado essas deliberações, não devia o rei consentir na ruína deles, pois mantinham à distância os que queriam conquistar a Lombardia. E isso porque, enquanto os venezianos tivessem força, não teriam consentido que outros senão eles próprios tivessem o domínio da província, e os outros não queriam tirá-la da França para dá-la aos venezianos, não estando animados, inclusive, a combater todas as duas. E se alguém dissesse: o rei Luís cedeu a Romanha a Alexandre e o reino de Nápoles à Espanha para evitar uma guerra, respondo que não se deve consentir em um mal para evitar uma guerra, pois não se evita esta e, sim, apenas se adia, para a própria desvantagem. Se alguns alegassem a promessa que o rei fez ao papa de empreender aquela conquista em troca da dissolução de seu matrimônio e do chapéu cardinalício ao arcebispo de Ruão, respondo com o que direi a seguir sobre as promessas dos Príncipes e a maneira de observá-las. Assim, pois, o rei Luís perdeu a Lombardia por não haver observado nenhum dos princípios observados pelos outros que conquistaram províncias e as conservaram. Não é extraordinário isso, mas em Nantes, ao arcebispo de Ruão, quando Valentino – nome popular de César Bórgia, filho do papa Alexandre – ocupava a Romanha, ao dizer-me ele que os italianos não entendiam de guerra, expliquei-lhe que os franceses não entendiam de Estado, pois se entendessem não teriam consentido à Igreja tanta grandeza. E por experiência viu-se que a grandeza, na Itália, da Igreja e da Espanha foi obra da França. E a ruína desta foi causada por ambas.

21

Conclui-se daí uma regra geral, que nunca ou muito raramente falha: quando alguém é causa do poder de outrem, arruína-se, pois aquele poder vem de astúcia ou força, e qualquer destas é suspeita ao novo poderoso.

CAPÍTULO IV

Por que razão o reino de Dario, ocupado por Alexandre, não se rebelou contra os sucessores deste após a morte de Alexandre

Consideradas as dificuldades com que se há de contar para conservar um Estado recém-conquistado, poderia parecer razão de espanto o fato de que, tendo Alexandre Magno se tornado, em poucos anos, senhor da Ásia, e morrido logo depois de ocupar aqueles Estados, estes não se tenham rebelado, como seria razoável. Os sucessores de Alexandre, contudo, se mantiveram e não tiveram para isso outra dificuldade senão a que entre eles surgiu da própria ambição. Replicarei que os principados cuja memória se conserva foram governados de dois modos diversos: ou por um Príncipe ajudado por ministros que no governo não são senão servos que o exercem somente por graça e concessão do senhor; ou por um Príncipe e barões, os quais não por graça daquele, mas por antiguidade de sangue, têm essa qualidade.

Esses barões possuem o domínio e súditos próprios, os quais os reconhecem como senhores e lhes votam natural afeição. Naqueles Estados que são governados por um Príncipe com seus servidores, o senhor tem mais autoridade, porque em toda a sua província não há quem seja reconhecido como superior a ele. E se obedecem a outrem, fazem-no por força do cargo que este exerce e não lhe dedicam a menor estima.

Os exemplos dessas duas espécies de governo são, em nossos tempos, o grão-turco e o reinado da França. O governo turco é exercido por um senhor que, dividindo o seu reino em *sandjaks*,[5]

---

5. Distritos militares financiados pelo sultão. (N.E.)

dispõe de servidores que muda e desloca como bem lhe parece. O rei da França está colocado em meio de uma multidão de senhores cujo domínio é tradicional e que são, em seus distritos, reconhecidos e amados por seus súditos. São poderosos, e o rei não pode privá-los de suas regalias, sem grave perigo para ele próprio. Quem considera, pois, essas duas situações, encontrará dificuldade em conquistar o Estado turco. Contudo, uma vez vencedor, ser-lhe-á muito fácil conservá-lo. A causa das dificuldades de ocupá-lo está em que não é possível ser chamado por Príncipe daquele reino, nem esperar que se possa facilitar a empresa com a rebelião daqueles que lhes estão ao redor. E isso em virtude das razões já apontadas. É que, sendo todos escravos, mais difícil se torna corrompê-los, e, quando se corrompessem, poucas vantagens se poderiam obter, uma vez que eles não poderiam arrastar a massa popular, o que se explica também pelas razões enunciadas. Conclui-se daí que quem se puser em marcha contra a Turquia precisa preocupar-se em encontrá-la unida, convindo-lhe mais confiar nas próprias forças do que na desordem dos adversários. Mas, vencida e desorganizada na luta, de modo que não lhe fosse possível refazer os exércitos, não seria necessário preocupar-se senão com a estirpe do Príncipe. Extinta esta, não restaria mais a quem temer, pois os outros não têm domínio sobre o povo. E, assim como o vencedor, antes da vitória, nada podia esperar dele, não deve temê-lo depois da conquista.

Acontece o contrário nos reinos governados como a França. É possível entrar-se com facilidade, conseguindo aliança com algum barão do reino, pois sempre se encontram descontentes ou gente desejosa de fazer inovações. Tais indivíduos poderiam, pelos motivos expostos, abrir-te caminho naquele reino e facilitar-te a vitória. Mas, depois, para te manteres, aparecem inúmeras dificuldades criadas não só pelos que oprimiste, como também pelos que, de início, auxiliaram a tua empresa. Não é suficiente extinguir a descendência do Príncipe. Permanecem aqueles senhores, barões poderosos, que se tornam cabeças de novas rebeliões. E, não sendo possível nem os contentar nem os fazer desaparecer, perderás o Estado na primeira oportunidade que se lhes apresente.

Agora, se se considerar a natureza do governo de Dario, encontrar-se-á semelhança com a do reinado do sultão da Turquia. Se a Alexandre foi necessário desbaratar o inimigo em bloco, depois da vitória, morto Dario, teve o Estado seguro, de acordo com as considerações que anteriormente expendi. E os sucessores de Alexandre, se se houvessem mantido unidos, poderiam gozar ociosos aquele reino; não houve aí outros tumultos senão os que eles próprios suscitaram. Quanto aos Estados organizados como o da França, é impossível conquistá-los com tanta facilidade. Explicam-se dessa forma as frequentes rebeliões da Espanha, da França e da Grécia quando conquistadas pelos romanos. Existiam aí numerosos principados, e, enquanto perdurou a lembrança deles, os romanos nunca puderam estar absolutamente seguros da posse; apagada, porém, a memória daqueles principados, em vista da potência e duração do Império, surgiu a segurança completa dos possuidores. Conseguiram também os romanos, quando mais tarde lutaram entre si, arrastar parte daquelas províncias, segundo a autoridade que cada um havia conseguido impor. E as províncias, pela razão muito simples de que fora extinto o sangue de seus antigos senhores, reconheciam apenas os romanos. Consideradas, pois, essas coisas todas, não se espantará ninguém da facilidade que Alexandre teve em consolidar sua vitória na Ásia, e das dificuldades com que outros esbarraram para conservar os reinos conquistados, como aconteceu a Pirro. São contingências originadas não do valor ou do desvalor do vencedor, mas da diversidade dos povos vencidos.

CAPÍTULO V

DA MANEIRA DE CONSERVAR CIDADES OU PRINCIPADOS QUE, ANTES DA OCUPAÇÃO, SE REGIAM POR LEIS PRÓPRIAS

Quando se conquistam Estados habituados a reger-se por leis próprias e em liberdade, há três modos de manter-se na sua posse: primeiro: arruiná-los; segundo: ir habitá-los; terceiro: deixá-los viver com suas leis, arrecadando um tributo e criando um governo de poucos, que se conservem amigos. Tendo sido esse governo criado por aquele Príncipe, sabe que não poderá viver sem sua amizade e seu poder e, naturalmente, tudo fará para mantê-lo. Por intermédio de seus próprios cidadãos, muito mais facilmente se conservará o governo de uma cidade acostumada à liberdade do que de qualquer outra forma.

Sirva-nos de exemplo a história dos espartanos e dos romanos. Os primeiros criaram em Atenas e Tebas um governo oligárquico: perderam-nas novamente.[6] Os romanos, para manter-se na posse de Cápua, Cartago e Numância, destruíram-nas,[7] e não as perderam; quiseram governar a Grécia como o fizeram os espartanos, tornando-a livre e mantendo-lhe suas leis. Não o conseguiram e foram obrigados a destruir muitas cidades para se conservar no poder.

É que, em verdade, não há garantia de posse mais segura do que levar a província à ruína. Quem se torna senhor de uma cidade tradicionalmente livre e não a destrói será destruído por ela. Tais cidades têm sempre por bandeira, nas rebeliões, a liberdade e suas antigas leis, que não esquecem nunca, nem com o correr do tempo, nem por influência dos benefícios recebidos. Por muito que se faça, quaisquer que sejam as precauções tomadas, se não se promovem a divisão e a desagregação dos habitantes, não deixam eles de se lembrar daqueles princípios e, em toda oportunidade, em qualquer situação, a eles recorrem, como fez Pisa, cem anos depois de estar sob o jugo dos florentinos. Mas, quando as cidades ou as províncias estão habituadas a viver sob o domínio de um Príncipe, extinta sua geração – como estejam acostumados a obedecer e, ao faltar-lhes o Príncipe antigo, não atinem em eleger, entre eles mesmos, um novo Príncipe –, não sabem viver livres. São, assim, pouco afeitos a tomar das armas e, nessas condições, com mais facilidade poder-se-á ganhar a estima do povo e assegurar-se de sua fidelidade. Nas

---

6. Esparta, para assegurar sua hegemonia sobre os Estados da Grécia, teve de restaurar as oligarquias, isto é, alimentou as antigas facções conservadoras. Assim, em Atenas (404 a.C.), o partido reacionário conseguiu formar um governo provisório composto de trinta membros, o qual inaugurou o terror e era garantido pela ocupação militar espartana. Condições análogas aproximaram Tebas de Atenas, aliaram-se as duas. O exército espartano (378) voltou a Esparta, sem vitória.
7. Episódio das guerras romanas.

repúblicas, há mais vida, o ódio é mais poderoso, maior é o desejo de vingança. Não deixam nem podem deixar repousar a memória da antiga liberdade.

Assim, para conservar uma república conquistada, o caminho mais seguro é destruí-la ou habitá-la pessoalmente.

CAPÍTULO VI

Dos principados novos que se conquistam pelas próprias armas e valor

Não deve causar estranheza a ninguém o fato de eu citar longos exemplos, muitas vezes a respeito dos Príncipes e dos Estados, durante a exposição que passo a fazer dos principados absolutamente novos. Os homens trilham quase sempre estradas já percorridas. Um homem prudente deve assim escolher os caminhos já percorridos pelos grandes homens e imitá-los; assim, mesmo que não seja possível seguir fielmente esses caminhos, nem pela imitação alcançar totalmente as virtudes dos grandes, sempre se aproveita alguma coisa. Deve-se proceder como os seteiros prudentes que, querendo atingir um ponto muito distante, e conhecendo a capacidade do arco, fazem a mira em altura superior à do ponto visado. Não o fazem, evidentemente, para que a flecha atinja tal altura: valem-se da mira elevada apenas para atingir com segurança o alvo designado.

Nos principados novos, governados por Príncipes novos, na luta pela conservação da posse, as dificuldades estão na razão direta da capacidade de quem os conquistou. E porque o fato de elevar-se alguém a Príncipe pressupõe valor ou boa sorte, evidentemente qualquer dessas razões tem a propriedade de mitigar muitas dificuldades. Todavia, é comum observar que muitos que foram menos afortunados se mantiveram mais tempo no poder. Traz muitas facilidades, ainda, o fato de o Príncipe novo ser obrigado a habitar o Estado conquistado por não ter outros domínios. E, para exemplo dos que foram Príncipes por seu valor e não por boa sorte, cito como maiores Moisés, Ciro, Rômulo, Teseu. E se bem que Moisés não deva ser mencionado por ter sido um mero executor das ordens de Deus, deve, contudo, ser admirado unicamente pela graça que o fazia digno de falar a Deus. Consideremos, porém, Ciro e outros que adquiriram e fundaram reinos. Haveis de achá-los todos admiráveis. E se se considerarem seus atos e ordens particulares, eles não são discrepantes daqueles de Moisés, que teve tão alto preceptor. E examinando-lhes a vida e as ações, conclui-se que eles não receberam da fortuna mais do que a ocasião de poder amoldar as coisas como melhor lhes aprouveram. Sem aquela ocasião, suas qualidades pessoais se teriam apagado, e sem essas virtudes a ocasião lhes teria sido vã. Portanto, era necessário a Moisés encontrar o povo de Israel, no Egito, escravizado e oprimido pelos egípcios, a fim de que, para se libertar da escravidão, esse povo se dispusesse a segui-lo. Convinha que Rômulo não encontrasse refúgio em Alba e tivesse sido exposto ao nascer, para que se tornasse rei de Roma e fundador de uma pátria.

Era necessário que Ciro encontrasse os persas descontentes com o Império dos medas e os medas muito efeminados e amolecidos pela longa paz. Teseu não teria podido revelar suas virtudes se não tivesse encontrado os atenienses dispersos. Tais oportunidades, portanto, tornaram felizes esses homens; e foram suas virtudes que lhes deram o conhecimento daquelas oportunidades. Graças a isso, suas pátrias honraram-se e tornaram-se felizes.

Aqueles que, por suas virtudes, semelhantemente a estes, se tornam Príncipes, conquistam o principado com dificuldade, mas se mantêm facilmente. As dificuldades que encontram na conquista do principado nascem, em parte, da nova ordem legal e dos costumes que são forçados a introduzirem para a fundação de seu Estado e de sua própria segurança. Deve-se considerar aqui que não há coisa mais difícil, nem de êxito mais duvidoso, nem mais perigosa, do que o estabelecimento de novas leis.

O novo legislador terá por inimigos todos aqueles a quem as leis antigas beneficiavam, e terá tímidos defensores nos que forem beneficiados pelo novo estado de coisas. Essa fraqueza nasce parte do medo dos adversários, parte da incredulidade dos homens, que não acreditam na verdade das coisas novas senão depois de uma sólida experiência. Daí resulta que os adversários, quando têm ocasião de assaltar, o fazem fervorosamente, como sectários, e os outros o defendem sem entusiasmo e periclita a defesa do Príncipe.

É necessário, pois, querendo expor bem claramente essa parte, examinar se esses inovadores agem por si próprios, firmemente, ou se dependem de outrem, isto é, se para conduzir sua obra precisam rogar ou se, verdadeiramente, podem empregar a força. No primeiro caso, são sempre malsucedidos e não conseguem coisa alguma. Mas, quando não dependem de ninguém, contam apenas consigo mesmos e podem utilizar a força, então raramente deixam de alcançar êxito. Eis a razão por que todos os profetas armados venceram e os desarmados fracassaram. Porque, além do que já se disse, a natureza dos povos é vária, sendo fácil persuadi-los de uma coisa, mas difícil firmá-los na persuasão. Convém, pois, providenciar para que, quando não acreditarem mais, se possa fazê-los crer à força. Moisés, Ciro, Teseu e Rômulo não teriam conseguido fazer observar por muito tempo suas constituições se estivessem desarmados. É o que, nos tempos que correm, aconteceu a frei Girolamo Savonarola, o qual fracassou em sua tentativa de reforma quando o povo começou a não lhe dar crédito. Ele não tinha meios para manter firmes aqueles que haviam acreditado, nem para fazer com que os incrédulos acreditassem. Pessoas nessas condições lutam com grandes dificuldades para conduzir-se, estando no seu caminho todos os perigos que só pela coragem podem ser superados. Vencidas as dificuldades, começam a ser venerados, e, exterminados os que invejavam suas qualidades, tornam-se poderosos, seguros, honrados e felizes. A tão altos exemplos quero juntar outro menor, mas que tem relação com aqueles e bastará para todos os semelhantes. É o de Hierão de Siracusa. Tornando-se Príncipe de Siracusa, está entre os que, da sorte, não tiveram mais do que a ocasião. Estando os siracusanos oprimidos, elegeram-no para seu capitão. Nesse posto mereceu tornar-se Príncipe. E foi de tanta virtude, mesmo na vida privada, que dele se disse: *quod nihil illi deerat regnandum praeter regnum.*[8]

Extinguiu a antiga milícia, organizou a nova, deixou as amizades antigas, conquistou outras e, como tivesse amizades e soldados seus,

---

8. "Que não lhe faltava para ser rei senão um reino."

pôde, sobre tais alicerces, edificar as obras que quis, tanto que teve muito trabalho para conquistar, mas pouco para manter-se.

CAPÍTULO VII

DOS PRINCIPADOS NOVOS QUE SE CONQUISTAM COM ARMAS E A FORTUNA DE OUTREM

Aqueles que somente pela fortuna de cidadãos particulares chegam à condição de Príncipes, pouco trabalho têm para isso, é claro, mas se mantêm muito penosamente. Não enfrentam nenhuma dificuldade para alcançar o posto, porque para aí voam; surge, porém, toda sorte de dificuldades depois da chegada. É o que acontece quando o Estado é concedido ao Príncipe ou por dinheiro, ou por graça de quem o concede. Assim foi na Grécia, nas cidades da Jônia e do Helesponto, onde houve Príncipes feitos por Dario para manterem sua glória e segurança. É ainda como se faziam aqueles imperadores que, de simples cidadãos, subiam ao trono pela corrupção dos soldados. Tais Príncipes estão na dependência exclusiva da vontade e boa fortuna de quem lhes concedeu o Estado, isto é, de duas coisas extremamente volúveis e instáveis. E não sabem e não podem manter o principado: não sabem porque, se não são homens de grande engenho e virtude, não é razoável que, tendo vivido sempre em condições de cidadãos particulares, saibam comandar; não podem, porque não contam com forças que lhes sejam amigas e fiéis. Além disso, os Estados que surgem de súbito, como todas as outras coisas da natureza que se desenvolvem muito depressa, não podem ter raízes ou membros proporcionados, e, ao primeiro golpe de adversidade, aniquilam-se; a não ser que aqueles Príncipes, como já se disse, saibam preparar-se para conservar aquilo que a sorte lhes pôs no regaço e estabeleçam solidamente as bases fundadas anteriormente por outros.

Desses dois meios de se tornar Príncipe – pelo valor ou pela fortuna –, quero apresentar dois exemplos atuais: Francesco Sforza e César Bórgia. Francesco, pelos meios devidos, e por grande valor, de simples particular se tornou duque de Milão e pôde manter facilmente aquilo que havia conquistado à custa de afanosos trabalhos. Por outro lado, César Bórgia, chamado pelo povo de duque Valentino, adquiriu o Estado com a fortuna do pai e sem esta o perdeu, não obstante houvesse feito tudo quanto devia fazer um homem prudente e valoroso a fim de que criasse raízes nos Estados que as armas e a fortuna de outrem lhe haviam concedido.

É que, como já disse anteriormente, quem não prepara as bases antes, poderá fazer depois esse trabalho, se tem grande capacidade, ainda que com aborrecimento para o arquiteto e perigo para o edifício. Se se considerarem, então, todos os progressos do duque, ver-se-á que ele firmou grandes alicerces para sua futura potência. Não julgo que seja supérfluo discorrer a respeito, porque eu não saberia regras melhores para oferecer a um Príncipe novo do que o exemplo das ações do duque. E se seu modo de agir não lhe aproveitou, não foi sua culpa, e sim por força de extremos reveses da sorte. Alexandre VI encontrou grandes dificuldades, imediatas e por vir, para o engrandecimento do filho. Primeiro, não encontrava meio de poder torná-lo senhor de algum Estado que não fosse Estado da Igreja, e sabia que se tentasse apoderar-se de um desses, o duque de Milão e os venezianos não o consentiriam, uma vez que Faenza e Rimini estavam já sob a proteção dos venezianos. Via, além disso, as tropas da Itália e especialmente aquelas de que se teria podido servir estarem em mãos de quem devia temer a grandeza do papa; e nelas não podia fiar-se, pertencendo todas aos Orsini, Colonna e seus partidários. Era necessário, portanto, que se perturbasse aquela ordem e fossem desorganizados os Estados destes para se tornar possível a conquista de uma porção deles. Isso não lhe foi difícil, pois os venezianos, movidos por outras razões, se decidiram a facilitar a volta dos franceses à Itália, a qual não fez oposição, e até tornou mais fácil com a dissolução do primeiro matrimônio do rei Luís. O rei entrou, portanto, na Itália com o auxílio dos venezianos e consentimento de Alexandre. Logo que o rei chegou a Milão, o papa teve tropa para a conquista da Romanha, empresa tornada possível só pela fama do rei. Tendo o duque conquistado a Romanha e derrotado os Colonna, e querendo manter aquela e prosseguir, encontrava dois impedimentos: um, suas tropas, que não lhe pareciam fiéis, e o outro, a vontade da França. Temia o duque que lhe faltassem as tropas dos Orsini, das quais se valera, e não só o impedissem de conquistar como lhe arrancassem a terra já conquistada, e, além disso, que o rei da França lhe fizesse o mesmo. Dos Orsini confirmaram-se suas suspeitas quando, depois de ter entrado em Faenza, assaltou Bolonha, e notou sua frieza naquele assalto. Relativamente às intenções do rei, conheceu-as quando, conquistado o ducado de Urbino, assaltou a Toscana: o rei fez com que desistisse dessa empresa. Por isso o duque deliberou não depender mais das armas e fortuna de outrem. E a primeira coisa que fez foi enfraquecer as facções dos Orsini e Colonna em Roma. De todos os aderentes destes, que fossem gentis-homens, procurou o apoio, tornando-os gentis-homens seus e lhes dando grandes pensões em dinheiro, e honrou-os, segundo suas qualidades, com postos de comando e de governo, de modo que, em poucos meses, a afeição que nutriam pelos partidos se extinguiu totalmente, passando toda para o duque. Depois, esperou a ocasião de extinguir os chefes dos Orsini, estando já dispersos os da casa de Colonna. Não tardou a se apresentar tal oportunidade, e o duque soube bem aproveitar-se dela. Com efeito, os Orsini, tendo-se apercebido tarde demais que o poder do duque e o da Igreja trariam sua ruína, realizaram um conselho em Magione, na Perúgia. Daí surgiram a rebelião de Urbino e os tumultos da Romanha, com inúmeros perigos para o duque, que a todos superou com o auxílio dos franceses. Tendo readquirido com isso sua reputação, e não se fiando mais da França e nem de outros agentes externos, para não ter de acrescer-lhes as forças, recorreu à astúcia. E tão bem soube dissimular suas intenções que os Orsini se reconciliaram com ele, por intermédio do senhor Paulo. Para assegurar-se melhor deste, o duque não omitiu nenhuma prova de amizade, dando-lhe dinheiro, roupas e cavalos; tanto assim que a ingenuidade dos Orsini levou-os a Senigália, à discrição do duque. Extintos pois esses chefes, e reduzidos seus correligionários a amigos do duque, havia este conseguido muito bons alicerces para seu poder, conquistando toda a Romanha com o ducado de Urbino, parecendo-lhe, além disso, ter ganho a amizade da Romanha e de todos aqueles povos que haviam começado a gozar de prosperidade.

Como essa parte da ação do duque é digna de registro e de imitação, não quero silenciar a respeito. Logo que se apoderou da Romanha, tendo-a encontrado, em geral, sujeita a fracos senhores, que mais espoliavam do que governavam seus súditos, dando-lhes apenas motivo de desunião (tanto que aquela província estava cheia de latrocínios, de tumultos e de toda sorte de violências), julgou o duque que era necessário, para torná-la pacífica e obediente ao braço régio, dar-lhe bom governo. E ali colocou, então, Ramiro de Orco, homem cruel e expedito, ao qual outorgou plenos poderes. Este, em pouco tempo, conseguiu fazer com que a Romanha se tornasse pacífica e unida, tendo alcançado ele mesmo grande reputação. O duque julgou depois que já não era necessária tanta autoridade, pois temia que se tornasse odiosa. E constituiu um juízo civil no centro da província, com um presidente ilustre e benquisto, e onde cada cidade estava representada. Sabendo que os rigores passados haviam criado ódios contra ele próprio, e para apagá-los do ânimo daqueles povos e conquistá-los a todos, definitivamente, em tudo, quis demonstrar que se haviam sido cometidas crueldades, não procediam dele e sim da dureza de caráter do ministro. E, em vista disso, tendo ocasião, mandou exibi-lo certa manhã, em Cesena, em praça pública, cortado em dois pedaços, tendo ao lado um pedaço de pau e uma faca ensanguentada. A ferocidade desse espetáculo fez com que o povo ficasse a um tempo satisfeito e espantado.

Voltemos, porém, ao ponto de partida. Encontrando-se o duque bastante poderoso e acoberto, em parte, de perigos presentes, por já terem tropas suas extinguido em grande medida as forças vizinhas que o poderiam incomodar, restava-lhe, querendo prosseguir nas conquistas, o temor ao rei da França. Sabia que seus progressos não seriam suportados pelo rei, o qual se apercebera tarde de seu erro. Começou, por isso, a procurar amizades novas e a tergiversar com a França, na incursão que os franceses levaram a efeito no reino de Nápoles contra os espanhóis que assediavam Gaeta. Queria assegurar-se contra a França, o que lhe teria sido fácil conseguir se Alexandre vivesse. Essa foi sua política quanto às coisas presentes. Mas, com relação ao futuro, tinha a temer, primeiro, que o novo papa lhe fosse hostil e procurasse tirar-lhe o que Alexandre lhe dera. Pensou agir de quatro modos: primeiro – extinguir a descendência de todos aqueles senhores que despojara para obstar a intervenção do papa no sentido de tentar reconduzi-los ao poder; segundo – conquistar todos os gentis-homens de Roma, como foi dito, para poder, com seu auxílio, enfrentar o papa; terceiro – aumentar o mais possível a própria influência no Sacro Colégio; quarto – conquistar a maior soma de poder antes da morte do papa, a fim de poder resistir por si mesmo a um primeiro ataque. Dessas quatro coisas, já realizara três, por ocasião da morte de Alexandre. A quarta estava quase terminada. Dos senhores espoliados matou quantos pôde alcançar, e foram pouquíssimos os que se salvaram; havia alcançado o apoio dos gentis-homens romanos e, no Sacro Colégio, tinha formado um grande partido. Quanto à nova conquista, havia designado tornar-se senhor da Toscana e já possuía Perúgia e Piombino e tomara para si a proteção de Pisa. E logo que não o preocupasse mais o temor da França (por terem sido já expulsos os franceses do reino de Nápoles pelos espanhóis, de modo que a ambos era necessário procurar sua amizade), o duque se precipitaria sobre Pisa. Depois disso, Luca e Siena cederiam logo, em parte movidas pelo ódio aos florentinos, em parte pelo medo. Os florentinos, então, não teriam recurso algum. Se tivesse conseguido isso (o que se daria no mesmo ano em que Alexandre morreu), conquistaria o duque tanta força e reputação que por si mesmo se teria mantido e não dependeria mais da fortuna e da força de outrem e sim da sua própria força e capacidade. Mas Alexandre morreu cinco anos depois que César desembainhara a espada. Deixou-o apenas com o Estado da Romanha consolidado, e todos os outros no ar, sob a pressão de dois poderosíssimos exércitos inimigos, e doente de morte. Havia, porém, no duque tão grande energia e valor, bem sabendo ele que os homens se conquistam ou se exterminam, e eram tão sólidos os alicerces construídos para o seu poderio, que se não fora a pressão daqueles exércitos, ou se ele estivesse são, teria vencido qualquer dificuldade. De que as bases que preparara eram boas teve as provas: a Romanha esperou-o fielmente mais de um mês; em Roma, ainda que meio morto, esteve a salvo; e se bem que os Baglioni, os Vitelli e os Orsini para aí tivessem acorrido, não puderam organizar partido contra ele; e se não pôde fazer com que fosse eleito papa um partidário seu, pôde pelo menos impedir que o fosse um inimigo. Se não estivesse doente quando Alexandre morreu, tudo lhe teria sido fácil. Disse-me ele, quando da eleição de Júlio II, que pensara em tudo que podia acontecer com a morte do pai e para tudo encontrara remédio. Só não previra, naquela ocasião, que ele próprio estivesse para morrer.

Nas ações do duque, das quais escolhi as que expus acima, não encontro motivo de censura; parece-me, pelo contrário, que se deve propô-lo como exemplo a todos os que por fortuna e com as armas de outrem ascenderem ao poder. Pois, sendo ele de ânimo forte e de alta ambição, não podia governar de outra forma. A seus desígnios se opuseram apenas a brevidade da vida de Alexandre e sua própria moléstia. Portanto, se julgas necessário, em um principado novo, assegurar-te contra os inimigos, conquistar amigos, vencer ou pela força ou pela astúcia, fazer-te amado e temido pelo povo, ser seguido e respeitado pelos soldados, extinguir os que podem ou devem ofender, renovar as antigas instituições por novas leis, ser severo e grato, magnânimo e liberal, dissolver a milícia infiel, criar uma nova, manter amizades dos reis e dos Príncipes, de modo que te sejam solícitos no benefício e tementes de ofender-te, repito que não encontrarás melhores exemplos que nas ações do duque. Só é possível acusá-lo quanto à eleição de Júlio pontífice, escolha que foi má, pois, como se disse, não podendo fazer papa a quem queria, podia evitar que o fosse quem não quisesse. Não deveria ele ter consentido jamais no papado de um dos cardeais a quem tivesse ofendido ou que, feito pontífice, tivesse de temê-lo. Pois os homens ofendem ou por medo ou por ódio.

Aqueles a quem ele ofendera eram, entre outros, os cardeais de San Pietro em Vincula, Colonna, San Giorgio, Ascânio. Todos os outros, se se tornassem papas, tinham por que o temer, exceto o de Ruão e os espanhóis; estes por força de aliança e obrigação, aquele pela força do rei da França. O duque devia, portanto, fazer com que fosse eleito papa um espanhol; não o podendo, devia consentir em que o papa fosse o cardeal de Ruão e não de San Pietro em Vincula. Engana-se quem acreditar que, nas grandes personagens, os novos benefícios fazem esquecer as antigas injúrias. O duque errou, pois, nessa eleição, e foi ele mesmo o causador de sua ruína definitiva.

CAPÍTULO VIII
Dos que alcançaram o principado pelo crime

Há duas maneiras de tornar-se Príncipe e que não se podem atribuir totalmente à fortuna ou ao mérito. Não me parece bem, portanto, deixar de falar nesses casos, se bem que de um deles se pudesse falar mais detidamente onde se trata das repúblicas. Essas maneiras são: chegar-se ao principado pela maldade, por vias celeradas, contrárias a todas as leis humanas e divinas; e tornar-se Príncipe por mercê do favor de seus conterrâneos. Para nos referirmos ao primeiro desses modos, apresentarei dois exemplos, um antigo e outro moderno, sem entrar, contudo, no mérito dessa parte, pois julgo que bastaria a alguém imitá-los se estivesse em condição de devê-lo fazer.

O siciliano Agátocles tornou-se rei de Siracusa, vindo não só de condição privada como também de condição ínfima e abjeta. Filho de um oleiro, teve sempre vida criminosa em sua mocidade. Acompanhava suas maldades de tanto vigor de ânimo e de corpo que, ingressando na milícia, chegou a ser pretor de Siracusa, por força daquela maldade. Nesse posto, deliberou tornar-se Príncipe e manter, pela violência e sem favor de outros, aquele poder que lhe fora concedido por acordo entre todos.

Acerca desse seu desígnio, entendeu-se com Amílcar, cartaginês, que estava com seus exércitos na Sicília, e, certa manhã, reuniu o povo e o Senado de Siracusa, como se ele tivesse de consultá-lo sobre os negócios públicos. E a um sinal combinado fez que seus soldados matassem todos os senadores e os homens mais ricos da cidade. Mortos estes, apoderou-se do governo daquela cidade e o conservou sem nenhuma hostilidade por parte dos cidadãos. E apesar de os cartagineses haverem rompido com ele duas vezes e, por fim, assediado a cidade, pôde não só defendê-la, como, deixando parte de sua gente para garanti-la contra os inimigos, com outra parte assaltou a África; em breve tempo libertou Siracusa do assédio e reduziu os cartagineses a uma condição miserável. Foram estes coagidos a entrar em acordo com Agátocles, deixando-lhe a Sicília e contentando-se com a posse da África. Consideradas, pois, suas ações e méritos, não se encontrará coisa, ou, senão, muito pouca, que se possa atribuir à fortuna. Como anteriormente se disse, não por favor de quem quer que fosse, mas passando por todos os postos conquistados na milícia por meio de inúmeros dissabores e perigos, é que se alcançou o principado que manteve depois à força de tantas decisões audazes e cheias de perigo. Ainda que não se possa considerar ação meritória a matança de seus concidadãos, trair os amigos, não ter fé, não ter piedade e nem religião, com isso pode-se conquistar o mando, mas não a glória. Mas, considerada a habilidade de Agátocles ao entrar e sair dos perigos, e sua fortaleza de ânimo no suportar e superar as coisas adversas, não há por que se deva julgá-lo inferior a qualquer dos mais ilustres capitães. Todavia, sua bárbara crueldade e desumanidade e os seus inúmeros crimes não permitem que seja celebrado entre os mais ilustres homens da História. Não se pode, pois, atribuir à fortuna ou ao valor aquilo que ele conseguiu sem uma e sem outro.

Em nossos tempos, sob o reinado de Alexandre VI, Oliverotto de Fermo, que ficara órfão alguns anos antes, fora criado por um tio materno, chamado Giovanni Fogliani. Nos primeiros tempos de sua juventude, dedicou-se à vida militar, sob o comando de Paulo Vitelli, a fim de que, afeito àquela disciplina, alcançasse algum alto posto na milícia. Morto Paulo, esteve sob o comando de Vitellozzo, seu irmão. E dentro de pouco tempo, como fosse engenhoso, forte e valoroso, tornou-se o primeiro homem de sua corporação. Pareceu-lhe, porém, coisa abjeta continuar a servir com outros; assim, auxiliado por alguns cidadãos de Fermo, que preferiram a servidão à liberdade de sua pátria, e com a ajuda de Vitellozzo, quis ocupar aquela cidade. E escreveu a Giovanni Fogliani dizendo que, como estivera muitos anos fora de casa, desejava ir visitá-lo e a sua cidade para conhecer seu patrimônio; e como não trabalhara senão para conseguir honras, a fim de que seus concidadãos vissem que não perdera o tempo em vão, queria ir em grande pompa e acompanhado de cem cavaleiros, seus amigos e servidores. Rogava ao tio que ordenasse aos cidadãos de Fermo que os recebessem com homenagens; isso representaria uma honra para o tio que o tinha educado. Giovanni não deixou de atender na menor coisa a seu sobrinho. Fê-lo receber com grandes festas, alojou-o e a sua comitiva na própria casa. Passados alguns dias, estando tudo pronto para que ordenasse o necessário a sua futura perfídia, organizou um banquete soleníssimo, para o qual convidou Giovanni Fogliani e todos os homens de maior destaque da cidade de Fermo. Terminado o banquete e os divertimentos de praxe, Oliverotto, propositadamente, encetou uma conversa a respeito de assuntos graves, da grandeza do papa Alexandre e de César, seu filho, e de seus empreendimentos.

Tendo Giovanni e os outros expendido também considerações a respeito, ele, a um dado momento, levantou-se e disse que aquilo era coisa que se devia discutir em lugar mais reservado, dirigindo-se a seguir para um aposento ao lado. Todos os outros o seguiram. Logo que se assentaram, saíram de esconderijos soldados que mataram Giovanni e todos os outros. Depois desse homicídio coletivo, Oliverotto montou a cavalo, percorreu a cidade e assediou o supremo magistrado[9] em seu palácio. Aterrorizados, foram obrigados a obedecê-lo e a formar um governo do qual ele se fazia Príncipe. E, mortos todos os que por descontentes poderiam prejudicá-lo, reforçou-se por novas leis civis e militares, de modo que, durante o ano em que governou a província, não só conseguiu assegurar-se na cidade de Fermo, mas também tornar-se temido por todos os seus vizinhos. E seria difícil tomar-lhe a cidade, como aconteceu com Agátocles, se não se tivesse deixado enganar por César Bórgia, quando este, em Senigália, como se disse antes, aprisionou os Orsini e os Vitelli. Assim, um ano depois de haver cometido o parricídio, foi estrangulado juntamente com Vitellozzo que fora o mestre de suas virtudes e ignomínias.

Poderia alguém surpreender-se pelo fato de que Agátocles e semelhantes, depois de tantas traições e crueldades, pudessem viver tranquilamente e a salvo em sua pátria e defender-se dos inimigos externos, e que os cidadãos não conspirassem contra eles – considerando-se tanto mais que muitos outros não puderam, por sua crueldade,

---

9. Ou seja, os membros do governo republicano de Fermo.

conservar o mando, nem nos tempos de paz, nem nos tempos duvidosos de guerra. Creio que isso seja consequência de serem as crueldades mal ou bem praticadas. Bem usadas se podem chamar aquelas (se é que se pode dizer bem do mal) que são feitas, de uma só vez, pela necessidade de prover alguém à própria segurança, sem nelas insistir depois, transformando o mais possível em vantagem para os súditos. Mal usadas são as que, ainda que a princípio sejam poucas, em vez de extinguirem-se, crescem com o tempo. Os que observam a primeira dessas linhas de conduta podem, com a ajuda de Deus e dos homens, encontrar remédio às suas consequências, como aconteceu com Agátocles. Aos outros é impossível manter-se. É de se notar, aqui, que ao apoderar-se de um Estado, o conquistador deve determinar as injúrias que precisa levar a efeito, e executá-las todas de uma só vez, para não ter de renová-las dia a dia. Desse modo, poderá incutir confiança nos homens e conquistar-lhes o apoio, beneficiando-os. Quem age por outra forma, ou por timidez ou por força de maus conselhos, tem sempre necessidade de estar com a faca na mão e não poderá nunca confiar em seus súditos, porque estes, por sua vez, não se podem fiar nele, mercê de suas recentes e contínuas injúrias. As injúrias devem ser feitas todas de uma vez, a fim de que, tomando-se-lhes menos o gosto, ofendam menos. E os benefícios devem ser realizados pouco a pouco, para que sejam mais bem saboreados. Sobretudo, um Príncipe deve viver com seus súditos de modo que nenhum acidente, bom ou mau, o faça variar, porque vindo, com tempos adversos, as necessidades, não terás tempo de fazer o mal; e o bem que fazes não te beneficia, pois julga-se forçado, e ninguém te agradecerá sua prática.

CAPÍTULO IX

Do principado civil

Mas, analisando outro caso, quando um cidadão, não por suas crueldades ou outra qualquer intolerável violência, e sim pelo favor dos concidadãos, torna-se Príncipe de sua pátria – o que se pode chamar principado civil (e para chegar a isso não são necessários grandes méritos nem muita sorte, mas antes uma astúcia feliz), digo que se chega a esse principado ou pelo favor do povo ou pelo favor dos poderosos. É que em todas as cidades se encontram essas duas tendências diversas e isso nasce do fato de que o povo não deseja ser governado nem oprimido pelos grandes, e estes desejam governar e oprimir o povo. Desses dois apetites diferentes nasce nas cidades um destes três efeitos: principado, liberdade ou desordem.

O principado é estabelecido pelo povo ou pelos grandes, segundo a oportunidade que tiver uma dessas partes; percebendo os grandes que não podem resistir ao povo, começam a dar reputação a um de seus elementos e o fazem Príncipe, para poder, sob sua sombra, satisfazer seus apetites. O povo também, vendo que não pode resistir aos grandes, dá reputação a um cidadão e o elege Príncipe, para estar defendido com sua autoridade. O que ascende ao principado com a ajuda dos poderosos se mantém com mais dificuldade do que aquele que é eleito pelo próprio povo; encontra-se aquele com muita gente ao redor que lhe parece sua igual, e por isso não a pode comandar nem manejar como entender. Mas o que alcança o principado pelo favor popular encontra-se sozinho e, ao redor, ou não tem ninguém, ou pouquíssimos que não estejam preparados para obedecê-lo. Além disso, não se pode honestamente satisfazer aos grandes sem injúria para os outros, mas o povo pode ser satisfeito. Porque o objetivo do povo é mais honesto do que o dos poderosos; estes querem oprimir e aquele não ser oprimido. Contra a hostilidade do povo, o Príncipe não se pode assegurar nunca, porque são muitos; com relação aos grandes, é possível, porque são poucos. O pior que um Príncipe pode esperar do povo hostil é ser abandonado por ele. Mas, da inimizade dos grandes, não deve temer só que o abandonem, como também que o ataquem, pois têm estes maior alcance de vistas e maior astúcia, e têm sempre tempo de salvar-se, procurando aproximar-se dos prováveis vitoriosos. Precisa ainda o Príncipe de viver sempre com o povo, mas pode prescindir perfeitamente dos grandes, pois pode fazer e desfazer, cada dia, e dar-lhes ou fazer-lhes perder influência, segundo sua vontade.

E, para esclarecer melhor esta parte, direi os dois grupos principais em que se podem classificar os grandes: os que procedem de tal modo que se ligam em tudo a tua fortuna e os que agem diversamente. Aqueles que se obrigam para contigo e não são rapaces devem ser respeitados e amados. Os que não se obrigam daquela forma devem ser examinados sob dois aspectos; se agem assim por pusilanimidade e defeito natural de caráter, deverás servir-te deles, especialmente se podem dar-te bons conselhos, porque em tempos felizes isso te honrará e nos adversos nada terás de temer. Mas, quando não se obrigam para contigo, deliberadamente e por ambição, é sinal de que pensam mais em si próprios do que em ti. O Príncipe deve, então, manter-se em guarda e temê-los como se fossem inimigos descobertos, porque sempre, na adversidade, ajudarão a arruinar-te.

Quem se torna Príncipe mediante o favor do povo deve manter-se seu amigo, o que é muito fácil, uma vez que este deseja apenas não ser oprimido. Mas quem se torna Príncipe contra a opinião popular, por favor dos grandes, deve, antes de mais nada, procurar conquistar o povo. Ser-lhe-á fácil isso, uma vez que se tenha ocupado em protegê-lo. E como os homens, quando recebem benefícios de quem só esperavam mal, se obrigam mais para com o benfeitor, torna-se o povo logo mais seu amigo do que se o Príncipe houvesse sido levado ao poder por favor seu. Isso pode ser conseguido pelo Príncipe de muitas maneiras, das quais não se pode traçar uma regra certa, porque elas variam conforme as circunstâncias. Deixá-la-ei de parte, por isso. Concluirei somente que é necessário a um Príncipe que o povo lhe vote amizade; do contrário, fracassará nas adversidades. Nábis, Príncipe dos espartanos, suportou o longo cerco de toda a Grécia e de um exército romano poderosíssimo, e contra eles defendeu a pátria e o Estado. Bastou-lhe apenas, quando o perigo sobreveio, assegurar-se de poucos; não lhe bastaria isso, se o povo fosse seu inimigo. E a quem estiver contra essa minha opinião, baseado naquele velho provérbio que diz que quem se apoia no povo tem alicerces de barro, direi que isso é verdade quando um cidadão acredita que o povo o liberte quando estiver, por acaso, oprimido pelos inimigos ou pelos magistrados. Nesse caso, são frequentes os enganos, como os Gracos em Roma e Messer[10]

---

10. Título que se dava aos senhores, prelados e juristas até o século XVI.

Giorgio Scali em Florença. Tratando-se, porém, de um Príncipe que saiba comandar e seja homem de coragem que não se abata nas adversidades, não se esqueça das outras precauções e tenha com seu próprio valor e conduta incutido confiança no povo, jamais será enganado por este e verá que reforçou seus alicerces.

Principados dessa espécie correm perigo quando estão saindo de um governo civil para um absoluto; porque esses Príncipes ou governam por si próprios ou por intermédio de magistrados.

Nesse último caso, sua estabilidade é precária e incerta, porque dependem completamente da vontade dos cidadãos prepostos nas magistraturas, os quais, sobretudo em tempos adversos, podem lhe arrebatar o Estado com grande facilidade, movendo-lhe guerra ou não lhe prestando obediência. E o Príncipe já não poderá, nos perigos, reconquistar a autoridade absoluta, porque os cidadãos e os súditos, habituados a seguir as ordens dos magistrados, não estão, naquela emergência, inclinados a obedecer às suas. E o Príncipe, nos tempos incertos, quase não terá gente em que se possa fiar, não podendo basear-se no que observa em ocasiões normais, quando os cidadãos têm necessidade do Estado. Então, todos correm ao seu encontro, todos prometem, e não há quem não queira morrer por ele, quando a morte está longe; mas na adversidade, quando o Estado necessita dos cidadãos, encontram-se poucos. E essa experiência é tanto mais perigosa quanto é certo que não é possível executá-la senão uma vez. Conclui-se daí que um Príncipe prudente deve cogitar da maneira de fazer-se sempre necessário a seus súditos e de precisarem estes do Estado; depois, ser-lhe-ão sempre fiéis.

CAPÍTULO X

COMO SE DEVEM MEDIR AS FORÇAS DE TODOS OS PRINCIPADOS

Convém fazer, ao se examinarem as qualidades desses principados, uma outra consideração: se um Príncipe possui tanta força em seu Estado que se possa manter por si mesmo em caso de necessidade ou se precisa do auxílio de terceiros. Para bem esclarecer essa parte, direi que julgo capazes de se manterem por si os Príncipes que podem, em vista de ter abundância de homens ou de dinheiro, formar um exército forte e fazer frente a qualquer assaltante, e que também julgo terem sempre necessidade de outrem os que não podem enfrentar o inimigo em campo aberto, precisando refugiar-se por detrás dos muros da cidade para poder defendê-la. Já se falou do primeiro caso, e mais adiante juntaremos o que é necessário. No segundo caso, não se pode fazer mais do que exortar esses Príncipes a fortificar e municiar o próprio Estado sem se preocupar com o resto. E quem estiver bem fortificado e se tenha conduzido com relação aos governados como acima se expôs – e se falará ainda – sempre será atacado com hesitação. Os homens são sempre contrários aos empreendimentos onde exista dificuldade; e não se pode ver facilidade no assalto a quem possui um Estado forte e não é odiado pelo povo.

As cidades da Alemanha são extremamente livres, têm pouco território e obedecem ao imperador quando querem, e não temem nem a ele, nem a qualquer outro poderoso que lhes esteja ao redor, pois estão fortificadas de forma que obriga a refletir que tomá-las deve ser tarefa aborrecida e difícil. Todas possuem ao redor valas e muros adequados, possuem boa artilharia e têm sempre nos celeiros públicos alimentos, bebidas e combustível para um ano. Além disso, para que a plebe nunca sofra fome, têm sempre, em comum, por um ano, trabalho para lhe dar naquelas atividades que sejam o nervo e a vida da cidade e indústrias das quais a plebe se sustente. Mais ainda: estimam grandemente os exercícios militares que são regidos por boas leis.

Assim, um Príncipe que tenha uma cidade forte e não se torne odiado não pode ser atacado, e, mesmo que o fosse, o atacante regressaria de cabeça baixa. Porque as coisas do mundo são assim tão variadas que seria impossível que alguém permanecesse ociosamente um ano a assediá-lo. A quem replicasse que, se o povo tem suas propriedades fora da cidade e as visse arder, não haveria paciência capaz de resistir, e que o longo cerco e o próprio egoísmo dos súditos fariam com que se esquecessem do Príncipe, responderia eu que um Príncipe corajoso e forte superará sempre todas aquelas dificuldades, ora dando aos súditos a esperança de que o mal não se prolongará, ora incutindo-lhes o temor da crueldade do inimigo, ora tomando medidas de segurança contra os que lhe parecessem muito temerários. Além disso, é razoável considerar que o inimigo deverá incendiar e arruinar o país logo depois de sua chegada, quando o ânimo do povo está ainda aquecido e decidido à defesa; por isso, o Príncipe deve ter tanto menos dúvida, porque depois de alguns dias os ânimos se arrefecem, os danos já são uma realidade e não há mais remédio; então o povo vem unir-se mais ao Príncipe, parecendo-lhe que este lhe deve uma obrigação, pois arderam as casas e arruinaram-se as propriedades em benefício dele. E a natureza dos homens faz com que se obriguem tanto pelos benefícios feitos como pelos recebidos. Em conclusão, considerando-se bem tudo, não será difícil a um Príncipe prudente manter firme o espírito de seu povo, durante um cerco, quer antes, quer depois deste, uma vez que não lhe faltem víveres nem meios de defesa.

CAPÍTULO XI

Dos principados eclesiásticos

Resta-nos somente, agora, falar dos principados eclesiásticos. Diante destes, surge toda sorte de dificuldades, antes que sejam possuídos, porque são conquistados ou pelo mérito, ou pela fortuna. Mantêm-se, porém, sem qualquer das duas, porque são sustentados pela rotina da religião. Suas instituições tornam-se tão fortes e de tal natureza que sustentam seus Príncipes no poder, vivam e procedam eles como bem entenderem. Só estes possuem Estados e não os defendem; só estes possuem súditos que não governam. E seus Estados, apesar de indefesos, não lhes são arrebatados; os súditos, embora não sejam governados, não cuidam de alijar o Príncipe, nem o podem fazer. Somente esses principados, portanto, são, por natureza, seguros e felizes. E sendo eles regidos por poderes superiores, aos quais a razão humana não atinge, deixarei de falar a respeito; estabelecidos e mantidos por Deus tais Estados, seria próprio de homem presunçoso e temerário agir de outra forma. Contudo, se alguém me perguntasse dos motivos por que a Igreja alcançou tanta grandeza no poder temporal, diria que, antes de Alexandre, os potentados italianos (e não somente potentados, mas qualquer barão ou senhor, apesar de insignificante) pouca importância davam ao poder temporal da Igreja. E agora até um rei da França o receia e foi expulso da Itália pelo papa, que conseguiu ainda arruinar os venezianos, o que apesar de conhecido não é inoportuno relembrar.

Antes que Carlos, rei da França, invadisse a Itália, essa província estava sob o império do papa, dos venezianos, do rei de Nápoles, do duque de Milão e dos florentinos. Esses governos deviam ter dois cuidados principais: um – que o estrangeiro não entrasse na Itália com tropas; outro – que nenhum deles estendesse seus domínios. Aqueles que mais se deviam vigiar eram o papa e os venezianos. E para deter a estes era necessária a união de todos os outros, como aconteceu na defesa de Ferrara; e para pôr em xeque o poder do papa, haveriam de servir os barões de Roma, os quais, por estarem divididos em duas facções – Orsini e Colonna –, viviam em constante disputa. E estando sempre de armas na mão, aos olhos do próprio pontífice, tornavam o papado fraco e inseguro. E se bem que às vezes surgisse um papa animoso, como foi Sisto, sua fortuna e seu saber não bastavam para livrá-lo dessa dificuldade. A brevidade dos pontificados é a razão disso, pois nos dez anos que, em média, um papa reinava, conseguia, embora à custa de grande trabalho, rebaixar uma das facções. Não obstante, se um deles havia conseguido quase que extinguir os Colonna, por exemplo, seguia-se um outro papa, inimigo dos Orsini que favorecia a volta dos Colonna, e não tinha tempo também de destruir os Orsini. Por isso, o poder temporal do papa foi pouco estimado na Itália. Surgiu depois Alexandre VI, o qual, de todos os pontífices que já existiram, demonstrou como um papa se podia fazer temer, pelo dinheiro e pela força, e, valendo-se do duque Valentino como instrumento, quando da vinda dos franceses, fez tudo quanto já referi anteriormente, a respeito da ação do duque. E apesar de seu intento não ser o de tornar a Igreja poderosa, tudo quanto o duque realizou foi pela grandeza desta, a qual, depois da morte de Alexandre e morto também o duque, foi a herdeira dos trabalhos que este realizara. Veio depois o papa Júlio e encontrou a Igreja forte, na posse de toda a Romanha, sendo que, pelas investidas de Alexandre, haviam sido extintos os barões de Roma e anuladas as facções referidas. Encontrou ainda o caminho aberto para acumular dinheiro, o que nunca fora feito antes de Alexandre. Júlio não só prosseguiu em tais trabalhos como ainda os acresceu. E pensou em conquistar Bolonha, liquidar os venezianos e expulsar os franceses da Itália. Alcançou êxito em todas essas empresas, e é tão mais digno de louvor quando se sabe que fez tudo isso com a preocupação de engrandecer a Igreja e não um determinado indivíduo. Manteve ainda os dois partidos, dos Orsini e dos Colonna, nas mesmas condições em que os encontrou; e apesar de entre eles haver alguns chefes, capazes de provocar alterações, nada fizeram. Duas coisas os mantiveram inativos: o poder da Igreja, que os abatia, e o fato de não terem eles partidários no Sacro Colégio, pois os cardeais são origem dos tumultos entre as facções. Não haverá paz entre estas se tiverem cardeais, porque estes, tanto em Roma como fora da cidade, fomentam os partidos, e os barões são forçados a defendê-los. Assim, da ambição dos prelados, nascem as discórdias e os tumultos entre os barões. Sua Santidade, o papa Leão, encontrou, pois, o pontificado poderosíssimo. E espera-se que, se alguns tornaram o papado poderoso pelas armas, o atual pontífice, por sua bondade e inúmeras outras virtudes, o torne ainda mais forte e venerável.

CAPÍTULO XII

DOS GÊNEROS DE MILÍCIA E DOS SOLDADOS MERCENÁRIOS

Tendo eu falado pormenorizadamente das qualidades dos principados que, de início, propus-me a discutir e após ter, em parte, falado das causas de sua estabilidade ou instabilidade e demonstrado os meios por que se puderam conquistar e manter, resta-me agora falar a respeito dos meios ofensivos e defensivos que neles se podem achar necessários. Dissemos anteriormente que é necessário a um Príncipe estabelecer sólidos fundamentos, sem o que é certa sua ruína. E as principais bases que os Estados têm, sejam novos, velhos ou mistos, são boas leis e boas armas. E como não podem existir boas leis onde não há armas boas, e como onde há boas armas convém que existam boas leis, referir-me-ei apenas às armas. Direi, pois, que as forças com que um Príncipe mantém seu Estado são próprias ou mercenárias, auxiliares ou mistas. As mercenárias e auxiliares são inúteis e perigosas. Se alguém tiver seu Estado apoiado em tal classe de forças, não estará nunca seguro; não são unidas aos Príncipes, são ambiciosas, indisciplinadas, desleais e vigorosas para com os amigos, mas covardes perante os inimigos, não temem a Deus, nem cumprem a palavra com os homens, e o Príncipe só adia a própria ruína enquanto adia o ataque. Assim, o Estado é espoliado por elas na paz, e, na guerra, pelos inimigos. A razão disso é que não têm outro amor, nem outra força que as mantenha em campo, senão uma pequena paga, o que não basta para fazer com que queiram morrer por ti. Querem muito ser teus soldados enquanto não fazes a guerra mas, se esta vier, fogem ou se despedem. Não me será muito difícil explicá-lo, pois a atual ruína da Itália não é causada por outra coisa senão porque durante muitos anos esteve apoiada em armas mercenárias. Estas chegaram a fazer algo em benefício de alguns e pareciam valorosas quando combatiam umas às outras, mas, chegado o estrangeiro, logo mostraram o que eram. Facílimo foi, por isso, a Carlos, rei da França, conquistar com giz[11] a Itália inteira, e dizia a verdade quem dizia que a culpa toda era nossa, mas os pecados não eram o que se pensava que fossem e sim os expostos anteriormente. E como eram culpados os Príncipes, foram eles que sofreram a pena.

Quero, contudo, demonstrar mais claramente a má qualidade dessas tropas. Os capitães mercenários ou são grandes militares ou não são nada; se o forem, não te poderás fiar neles, porque aspirarão sempre à própria glória, ou abatendo a ti, que és seu patrão, ou opri-

---

11. Segundo Philippe Commines, cronista francês, atribuía-se ao papa Alexandre VI o dito segundo o qual "os franceses, ao invadir a Itália, tomaram do giz para marcar seus acampamentos, e não de espadas para combater". Tal atitude traduzia a falta de resistência dos Estados italianos.

mindo a outrem contra tua vontade. Se não forem grandes capitães, arruinar-te-ão por isso mesmo. E se alguém responder que, mercenário ou não, quem estiver com a força agirá sempre da mesma forma, replicarei que as tropas devem ser usadas por um Príncipe ou por uma república. O Príncipe em pessoa é quem deve constituir-se capitão; a república deve mandar para esse posto um de seus cidadãos e, quando for infeliz na escolha, deve logo substituí-lo. E, se se revelar um homem de valor em seu posto, deve a república assegurar-se, mediante leis, contra o capitão, para que não exorbite ele de suas funções. A experiência ensina que os Príncipes, agindo por si mesmos, e as repúblicas armadas alcançam grandes progressos, ao passo que as armas mercenárias só causam danos. Mais dificilmente um cidadão de uma república que tenha tropas próprias alcança o poder absoluto do que no caso da república apoiada em tropas estrangeiras. Roma e Esparta estiveram durante muitos séculos armadas e livres. Os suíços são armadíssimos e repletos de liberdade. Exemplo das forças mercenárias antigas são os cartagineses, que quase foram abatidos pelos mercenários, quando terminou a primeira guerra com os romanos, conquanto os exércitos cartagineses tivessem por chefes cidadãos de Cartago. Filipe da Macedônia foi feito pelos tebanos capitão de sua gente, depois da morte de Epaminondas; e depois da vitória tirou-lhes a liberdade. Os milaneses, morto o duque Filipe, assalariaram Francesco Sforza para que atacasse os venezianos; e, vencido o inimigo em Caravaggio, Sforza juntou-se aos inimigos para oprimir os milaneses, seus patrões. Já Muzio Sforza, seu pai, servindo à rainha Joana de Nápoles, deixou-a, em certo momento, sem exército. Para não perder o reino, foi ela obrigada a lançar-se aos braços do rei de Aragão. E se os venezianos e florentinos, pelo contrário, alargaram seu império com tropas mercenárias e seus capitães não se tornaram Príncipes e os defenderam sempre, tem-se que os florentinos, nesse caso, foram favorecidos pela sorte, pois, dos capitães de valor a quem podiam temer, alguns não venceram, outros tiveram de lutar contra rivais e outros ainda dirigiram a ambição em outros rumos. O que não venceu foi Giovanni Aucut, do qual, por não ter vencido, não se pôde conhecer a fidelidade, mas ninguém deixará de reconhecer que, se vencesse, os florentinos estariam à sua mercê. Sforza teve sempre contra si os partidários de Braccio, vigiando-se eles mutuamente. Francesco voltou sua ambição para a Lombardia; Braccio, contra a Igreja e o reino de Nápoles.

Vejamos, porém, o que aconteceu há pouco tempo. Os florentinos fizeram Paulo Vitelli seu capitão, homem muito prudente e que, de simples particular, alcançara altíssima reputação. Se este conquistasse Pisa, não haveria quem negasse que ele teria oprimido os florentinos; porque, se tivesse ficado servindo aos seus inimigos, aqueles não teriam remédio contra isso; e, se o mantivessem, teriam de obedecer-lhe. Se considerarmos os progressos dos venezianos, ver-se-á que operaram segura e gloriosamente, enquanto eles mesmos fizeram a guerra, o que se deu antes de sua atenção voltar-se para as conquistas em terra firme. Aí, com o auxílio dos gentis-homens e com a plebe armada, operaram valorosamente, mas, quando começaram a combater em terra, deixaram essa excelente regra e seguiram os costumes de guerra da Itália. E no princípio de sua ação em terra, por não terem domínio muito extenso e por terem grande reputação, não tinham muito que temer de seus capitães. Ampliando seus domínios sob a direção de Carmignola, tiveram a prova desse erro, uma vez que o tendo como grande capitão, quando venceram sob seu comando o duque de Milão, e vendo depois que estava arrefecendo nas coisas de guerra, julgaram que sob seu comando não mais poderiam ter vitórias, pois lhe faltava a vontade de vencer; e como não pudessem pô-lo em disponibilidade, para não perder o que haviam conquistado, tiveram de matá-lo para se sentir seguros contra ele. Tiveram depois, por capitães, Bartolomeu de Bérgamo, Roberto de São Severino, o conde de Pitigliano e outros. Quanto a estes, só tinham de temer suas derrotas, não suas conquistas, como aconteceu depois em Vailá, onde, em um só dia, perderam o que, em oitocentos anos, à custa de tantos trabalhos, haviam conquistado. Essas tropas produzem apenas lentas, tardias e precárias conquistas, mas rápidas e espantosas perdas. E como citei esses exemplos da Itália, que foi governada muitos anos com armas mercenárias, continuarei a discutir o assunto sob um aspecto mais geral, a fim de que, conhecendo-se suas origens e seu desenvolvimento, seja possível corrigir melhor o erro de usar essas tropas. Deveis saber então que, começando nesses últimos tempos o Império a ser repelido da Itália, e tendo o papa maior autoridade no poder temporal, o país foi retalhado em mais Estados; porque muitas das maiores cidades tomaram armas contra a nobreza que as tinha subjugado, ajudada pelo imperador, ao passo que a Igreja favorecia as cidades para aumentar seu poder temporal. Assim, em muitas cidades, simples particulares se tornaram Príncipes. O resultado é que, tendo a Itália ficado, quase toda, em poder da Igreja e de algumas repúblicas, e os padres e os cidadãos destas não estando habituados a manejar armas, começaram a aliciar mercenários estrangeiros para o serviço militar. O primeiro que granjeou fama no comando dessa espécie de tropa foi Alberico da Conio, romanhês. Braccio e Sforza, que, em seus tempos, foram árbitros da Itália, emergiram, como muitos, da escola daquele. Depois vieram todos os outros que têm comandado essas milícias até nossos tempos. E como consequência disso, a Itália foi invadida por Carlos, depredada por Luís, atacada por Fernando e infamada pelos suíços. A primeira coisa que fizeram os *condottieri* foi procurar anular a importância da infantaria, para realçar a importância própria. Agiram assim porque, não tendo Estado próprio e dependendo sempre de sua profissão, se tivessem pouca infantaria, não conseguiriam fama, e se tivessem muita, não poderiam sustentá-la. Reduziram-se, portanto, quase exclusivamente à cavalaria, pois, com pequeno número de cavaleiros, achavam apoio e honras, sem grandes encargos. Isso chegou a tal ponto que, em um exército de vinte mil homens, não havia dois mil infantes.

Empregavam, ademais, os capitães todos os meios para afastar, de si e dos soldados, o medo e o trabalho, poupando-se nos combates e fazendo-se prender uns aos outros sem resgate. Não atacavam as cidades de noite, e os que defendiam as cidades não atacavam os sitiantes, nem queriam combater no inverno. Tudo isso lhes era permitido por seu código militar, que, como se disse, tinha o objetivo de evitar trabalhos e perigos. E assim escravizaram e infamaram a Itália.

CAPÍTULO XIII

Das tropas auxiliares, mistas e nativas

As tropas auxiliares, que não são mais do que um exército inútil, são as que mandam em teu auxílio algum poderoso, como fez em tempos não muitos remotos o papa Júlio. Tendo ele tido, na expedição contra Ferrara, triste prova dos exércitos mercenários, voltou-se para as tropas auxiliares, combinando com Fernando, rei da Espanha, que os infantes e cavaleiros deste fossem ajudá-lo. Tais tropas podem ser úteis e boas por si próprias, mas quase sempre acarretam prejuízos ao que as solicita, pois, se perderem, continua-se derrotado e, se vencerem, fica-se prisioneiro delas. E, muito embora a história antiga esteja cheia desses exemplos, eu não quero sair deste, ainda recente, do papa Júlio II, cuja decisão de abandonar-se nas mãos de um estrangeiro, só pela vontade de conquistar Ferrara, não se pode considerar uma boa deliberação. Mas a boa fortuna do papa originou um terceiro acontecimento, a fim de que ele não colhesse os frutos de sua má escolha; é que tendo sido as forças auxiliares desbaratadas em Ravena, e surgindo os suíços, que expulsaram os vencedores, excedendo qualquer expectativa do papa e de outros, não ficou ele preso pelos inimigos, que haviam fugido, nem por seus aliados, tendo vencido com outras forças que não as próprias. Os florentinos, que estavam desarmados, levaram dez mil franceses a Pisa, para tomá-la: e nisso encontraram mais perigo do que em quaisquer de seus próprios trabalhos, em todos os tempos. O imperador de Constantinopla, para opor-se a seus vizinhos, pôs dez mil turcos na Grécia, os quais, terminada a guerra, não mais quiseram partir, o que foi o começo da servidão da Grécia aos infiéis.[12] Valha-se, portanto, dessas tropas quem não quiser vencer, porque são muito mais perigosas do que as mercenárias.

Com aquelas, a ruína é certa; são unidas e votadas inteiramente à obediência a outros. Quanto às forças mercenárias, depois da vitó-

---

12. O imperador João Cantacuzene, em guerra contra a facção dos paleólogos, aliou-se, em 1346, com o sultão Orcham. Finda a guerra, os turcos estabeleceram-se em Gallipoli.

ria, precisam de mais tempo e de melhor oportunidade de prejudicar-te, pois não constituem um corpo perfeitamente unido e, além disso, foram organizadas e são pagas por ti; nestas, se tornares chefe um terceiro, não poderá este ter desde logo tanta autoridade que te possa ofender gravemente. Em resumo, nas tropas mercenárias, o que é perigoso é a covardia; nas auxiliares, a bravura.

Os Príncipes prudentes repeliram sempre tais forças, para valer-se de suas próprias, preferindo antes perder com estas a vencer com auxílio das outras, considerando falsa a vitória conquistada com forças alheias. Não deixarei nunca de ter em mente o exemplo de César Bórgia e suas ações. Esse duque entrou na Romanha à custa de armas auxiliares, conduzindo tropas francesas, com as quais tomou Ímola e Forli. Depois, como essas tropas não lhe inspiravam confiança, voltou-se às mercenárias, que, julgou, eram menos perigosas. E tomou a seu serviço os Orsini e os Vitelli. Quando, tendo usado as destes últimos, julgou-as dúbias e desleais, extinguiu-as, dedicando-se às que eram verdadeiramente suas. Pode-se daí concluir facilmente a diferença entre umas e outras, considerada a transformação na fama do duque, de quando tinha apenas os franceses, para quando empregava os Orsini e os Vitelli, e quando afinal ficou com soldados seus e sob seu próprio comando. Ver-se-á que sua fama foi aumentando sempre, e nunca foi tão estimado como quando se viu que ele era senhor absoluto de suas tropas. Eu não queria citar senão exemplos italianos ou recentes; apesar disso, não quero deixar de falar de Hierão de Siracusa, já anteriormente referido. Este, como disse, investido das funções de chefe dos exércitos siracusanos, percebeu logo que a milícia mercenária não era boa, por serem os chefes semelhantes aos nossos, italianos. Parecendo-lhe que não podia mantê-los nem desfazer-se deles, fê-los cortar em pedaços. Assim, pôde fazer guerra, depois, com tropas próprias. Quero ainda recordar uma passagem do Antigo Testamento, referente a este assunto. Oferecendo-se Davi a Saul, para ir combater contra Golias, grande provocador filisteu, Saul, para animá-lo, quis que ele fosse com a armadura real. Davi, logo que a pôs sobre si, repeliu-a, dizendo que não poderia usar bem de sua própria força, pois queria encontrar-se com o inimigo valendo-se apenas da funda e da faca para combatê-lo. Enfim, as armas de outrem ou te caem pelas costas, ou pesam sobre ti, ou ainda te sufocam. Carlos VII, pai do rei Luís XI, tendo, com sua boa sorte e valor, livrado a França do jugo dos ingleses, conheceu a necessidade de se armar com forças que fossem suas, realmente, e tornou obrigatório, em seu reino, o serviço militar. O rei Luís extinguiu, depois, a infantaria e começou a contratar suíços a soldo.[13] Esse erro, seguido de outros, foi, como se vê agora, o motivo que pôs em perigo aquele reino. Tendo dado reputação aos suíços, Luís aviltou as próprias tropas, pois desaparecendo a infantaria, ficando sua cavalaria subordinada à tropa estrangeira, e, acostumando-se ela a militar com suíços, não lhe parecia possível vencer sem eles. Daí não se bastarem os franceses contra os suíços, e sem os suíços, contra outros, não conseguiram vencer. Os exércitos da França, pois, têm sido mistos, compostos de mercenários e soldados próprios. São eles muito melhores que as simples tropas auxiliares ou mercenárias e muito inferiores aos exércitos próprios.

Basta o exemplo dado, porque o reino da França seria invencível se se tivesse desenvolvido ou, pelo menos, conservado o regulamento militar de Carlos. Mas a pouca prudência dos homens não descobre o veneno que está escondido nas coisas que bem lhes parecem em princípio, conforme disse anteriormente a respeito das febres héticas.[14]

Portanto, aquele que, em um principado, não conhece os males em sua origem, não é verdadeiramente sábio, o que é dado a poucos. Se se considerar o começo da decadência do Império Romano, achar-se-á que foi motivada somente por haver começado a ter a soldo mercenários godos. Desde então principiaram a declinar as forças do Império, e todo o valor dele lhes era levado por outros. Concluo, pois, que, sem possuir armas próprias, nenhum principado está seguro; antes, está à mercê da sorte, não existindo virtude que o defenda nas adversidades. Foi sempre opinião e sentença dos

---

13. Tratava-se de mercenários suíços que prestavam serviços a governantes estrangeiros em troca de remuneração. (N.E.)
14. Isto é, a tísica ou tuberculose.

homens sábios – *quod nihil sit tam infirmum aut instabile, quam fama potentiae non sua vi nixa*.[15] E as forças próprias são aquelas compostas de súditos ou de cidadãos, ou de servos teus; todas as outras são mercenárias ou auxiliares. E o modo de organizar os exércitos próprios será fácil de encontrar-se se se analisarem as regras dos quatro a quem me referi, e se se considerar como Filipe, pai de Alexandre Magno, e muitas repúblicas e Príncipes se armaram e se organizaram: e é a essas regras que me reporto inteiramente, durante esta exposição.

CAPÍTULO XIV

Dos deveres do Príncipe para com suas tropas

Deve, pois, um Príncipe não ter outro objetivo, nem outro pensamento, nem ter qualquer outra coisa como prática, a não ser a guerra, seu regulamento e sua disciplina, porque essa é a única arte que se espera de quem comanda. É ela de tanto poder que não só mantém aqueles que nasceram Príncipes, mas muitas vezes faz com que cidadãos de condição particular ascendam àquela qualidade. Ao contrário, vê-se que perderam seus Estados os Príncipes que se preocuparam mais com os luxos da vida do que com as armas. A primeira causa que te fará perder o governo é descurar dessa arte e a razão de poderes conquistá-lo é o professá-la.

Francesco Sforza, de simples cidadão, tornou-se duque de Milão, pelo fato de ter-se armado; ao passo que seus filhos, por fugir aos deveres das armas, de duques passaram a simples cidadãos. Porque, entre as outras razões que te acarretam males, o estar desarmado te torna desprezível, e isso é uma das infâmias de que um Príncipe se deve guardar, como adiante se dirá. Não há proporção alguma entre um Príncipe armado e um desarmado, e não é razoável que quem está armado obedeça com gosto a quem não está e que o Príncipe desarmado viva seguro entre servidores em armas.

---

15. Referência de Maquiavel ao pensamento de Tácito, feita de memória: "Nada é tão frágil e instável quanto a fama de uma potência quando não apoiada na própria força".

Havendo desdém, por parte de um, e suspeita, de outro lado, não é possível que ajam de acordo. Um Príncipe que não entenda de arte militar, além de outras infelicidades, como se disse, não será estimado pelos seus soldados, nem terá neles confiança.

Um Príncipe deve, pois, não deixar nunca de se preocupar com a arte da guerra e praticá-la na paz mais ainda no que na guerra. Isso pode ser conseguido por duas formas: pela ação ou apenas pelo pensamento. Quanto à ação, além de manter os soldados disciplinados e constantemente em exercício, deve estar sempre em grandes caçadas, onde deverá habituar o corpo aos incômodos naturais da vida em campanha[16] e aprender a natureza dos lugares, saber como surgem os montes, como afundam os vales, como jazem as planícies, e saber da natureza dos rios e dos pântanos, empregando nesse trabalho os melhores cuidados. Esses conhecimentos são úteis sob dois aspectos principais: primeiro, aprende o Príncipe a conhecer bem seu país e ficará conhecendo melhor seus meios de defesa; segundo, pelo conhecimento e prática daqueles sítios conhecerá facilmente qualquer outro, novo, que lhe seja necessário examinar, pois os montes, os vales, as planícies, os rios e os pântanos que existem na Toscana, por exemplo, apresentam certas semelhanças com os de outras províncias. Assim, pelo conhecimento da geografia de uma província, pode-se facilmente chegar ao conhecimento de outra. E o Príncipe que falha nesse particular falha na primeira qualidade que deve ter um capitão, porque é esta que ensina a encontrar o inimigo, localizar o melhor local para acampar, conduzir os exércitos, traçar os planos de batalha, e apossar-se do terreno mais vantajoso. Filipômene, Príncipe dos aqueus, entre outras qualidades que lhe deram os escritores, tinha esta de, nos tempos de paz, não deixar de pensar nunca em coisas de guerra. Quando passeava no campo, com os amigos, parava às vezes e os interrogava: "Se os inimigos estivessem sobre aquele monte, e nós estivéssemos aqui, com nossos exércitos, quem teria maiores vantagens? Como se poderia atacá-los mantendo nossa formação ordenada? Se quiséssemos bater em retirada, como deveríamos proceder? Se eles se retirassem,

---

16. Conjunto de operações militares realizadas em local e tempo determinados. (N.E.)

como faríamos para segui-los?". Enfim, formulava todas as hipóteses que podem ocorrer em campanha, ouvia-lhes a opinião, dava a sua, corroborava-as com razões e exemplos, de modo que, mercê dessas contínuas cogitações, quando estava à frente dos exércitos, nunca surgia um acidente que ele já não tivesse previsto e para o qual, portanto, não tivesse remédio.

Agora, quanto ao exercício do pensamento, o Príncipe deve ler histórias de países e considerar as ações dos grandes homens, observar como se conduziram nas guerras, examinar as razões de suas vitórias e derrotas, para poder fugir destas e imitar aquelas; sobretudo, fazer como teriam feito em tempos idos certos grandes homens, que imitavam alguém que antes deles havia sido glorificado por suas ações, como consta que Alexandre Magno imitava a Aquiles; César, a Alexandre; Cipião, a Ciro. E quem ler a vida de Ciro, escrita por Xenofonte, reconhecerá, depois, na vida de Cipião, quanto lhe foi valiosa aquela imitação e quanto se assemelhava ele, na abstinência, afabilidade, humanidade, liberalidade, ao que Xenofonte disse de Ciro. Um Príncipe sábio deve observar essas coisas e nunca ficar ocioso nos tempos de paz; deve, sim, inteligentemente, ir formando cabedal de que se possa valer nas adversidades, para estar sempre preparado a resistir-lhes.

CAPÍTULO XV

DAS RAZÕES POR QUE OS HOMENS, E ESPECIALMENTE OS PRÍNCIPES, SÃO LOUVADOS OU CENSURADOS

Resta examinar agora como deve um Príncipe comportar-se com seus súditos e seus amigos. Como sei que muita gente já escreveu a respeito dessa matéria, duvido que não seja considerado presunçoso propor-me a examiná-la também, tanto mais quanto, ao tratar desse assunto, não me afastarei grandemente dos princípios estabelecidos pelos outros. Todavia, como é meu intento escrever coisa útil para os que se interessarem, pareceu-me mais conveniente procurar a verdade pelo efeito das coisas do que pelo que delas se possa imaginar. E muita gente imaginou repúblicas e principados que nunca se viram nem jamais foram reconhecidos como reais. Há tanta diferença entre o como se vive e o modo por que se deveria viver, que quem se preocupar com o que se deveria fazer em vez do que se faz aprende antes a ruína própria do que o modo de se preservar; e um homem que quiser fazer profissão de bondade, é natural que se arruíne entre tantos que são maus. Assim, é necessário a um Príncipe, para se manter, que aprenda a poder ser mau e que se valha ou deixe de valer-se disso segundo a necessidade.

Deixando de parte, pois, as coisas ignoradas, relativamente aos Príncipes e falando a respeito das que são reais, máxime os Príncipes, por estarem mais no alto, se fazem notar por meio das qualidades que lhe acarretam reprovação ou louvor, isto é, alguns são tidos como liberais, outros como miseráveis (usando o termo toscano *misero*, por que *avaro*, em nossa língua, é ainda aquele que deseja possuir pela rapinagem, e *miseri* chamamos aos que se abstêm muito de usar o que possuem); alguns são tidos como pródigos, outros como rapaces; alguns são cruéis e outros piedosos; perjuros ou leais; efeminados e pusilânimes ou truculentos e animosos; humanitários ou soberbos; lascivos ou castos; íntegros ou astutos; enérgicos ou indecisos; graves ou levianos; religiosos ou incrédulos e assim por diante. E eu sei que cada qual reconhecerá que seria sumamente louvável que um Príncipe possuísse, entre todas as qualidades referidas, as que são tidas como boas; mas a condição humana é tal que não consente a posse completa de todas elas, nem ao menos sua prática consistente; é necessário que o Príncipe seja tão prudente que saiba evitar os defeitos que lhe arrebatariam o governo e os que não o arrebatariam também, se lhe é possível; mas, não podendo, com menor preocupação, pode-se deixar que as coisas sigam seu curso natural. E ainda que não lhe importe incorrer na fama de ter certos defeitos, defeitos estes sem os quais dificilmente poderia salvar o governo, pois que, se se considerar bem tudo, encontrar-se-ão coisas que parecem virtudes e que, se fossem praticadas, lhe acarretariam a ruína, e outras que poderão parecer vícios e que, sendo seguidas, trazem a segurança e o bem-estar do governante.

CAPÍTULO XVI

Da liberalidade e da parcimônia

Começando, portanto, pela primeira das qualidades enumeradas, direi em que condições o ser julgado liberal é um bem. A liberalidade usada para que gozes da fama de liberal não é uma virtude; se é ela praticada virtuosamente e como devido, será ignorada e não te livrarás da má fama de seu contrário. Assim, se se quiser manter entre os homens a fama de liberal, é necessário não omitir nenhuma demonstração de suntuosidade, de tal modo que, nessas condições, consumirá sempre um Príncipe, em semelhantes obras, todas as suas rendas. E, no fim, se quiser manter aquela fama, precisará onerar o povo extraordinariamente, proceder cruelmente no fisco e fazer tudo o que se pode fazer para ter dinheiro. Isso começará a torná-lo odioso aos olhos dos súditos, e uma vez empobrecido cairá na desestima dos outros; de forma que, tendo sua liberalidade acarretado prejuízo a muitos e beneficiado a poucos, começa o Príncipe a sentir os primeiros reveses e corre perigo em qualquer circunstância que ocorra. Percebendo isso, e querendo retrair-se, o Príncipe é logo tachado de avaro. Assim, pois, não podendo usar dessa virtude sem dano próprio, de modo que seja conhecida, deve ele, se é prudente, desprezar a pecha de avarento, porque, com o tempo, poderá demonstrar que é cada vez mais liberal, pois o povo verá que a parcimônia do Príncipe faz com que sua receita lhe baste, podendo ele defender-se de quem lhe move guerra, e também lançar-se em empreendimentos sem sobrecarregar com tributos o povo, e assim estará sendo liberal para todos aqueles de quem nada tira, os quais são inúmeros, e miserável para aqueles a quem não dá nada, que são muito poucos. Em nossos tempos, não vimos que fizessem grandes coisas senão os que foram considerados miseráveis; os outros arruinaram-se. O papa Júlio II, como se houvesse servido da fama de liberal para chegar ao papado, não pensou depois em mantê-la, e isso para poder fazer guerra; o rei da França entrou em muitas campanhas sem onerar os seus com qualquer taxa extraordinária, porque, para atender às despesas supérfluas, bastou-lhe sua grande parcimônia. O atual rei da Espanha se fosse considerado liberal não teria realizado nem consumado tantos empreendimentos.

Portanto, um Príncipe deve gastar pouco para não ser obrigado a roubar seus súditos; para poder defender-se; para não se empobrecer, tornando-se desprezível; para não ser forçado a tornar-se rapace; e pouco cuidado lhe dê a pecha de miserável, pois esse é um dos defeitos que lhe dão a possibilidade de bem reinar. E se alguém disser que César, com sua liberalidade, ascendeu ao Império, e muitos outros, por serem considerados liberais, alcançaram altos postos, responderei que ou já és Príncipe ou estás no caminho de o ser. No primeiro caso, essa liberalidade é prejudicial; no segundo, é necessário sermos considerados liberais e generosos. E César era um dos que queriam alcançar o poder em Roma, mas se, depois que o alcançou, tivesse vivido mais tempo e prosseguido naquelas despesas e não as tivesse reduzido, teria destruído o Império. Se alguém replicasse que houve muitos Príncipes que fizeram grandes coisas com seus exércitos e têm fama de liberais, responderia eu que ou o Príncipe gasta o que é seu, ou de seus súditos, ou o que é de outrem. No primeiro caso deve ser sóbrio; no outro, não deve esquecer nenhuma liberalidade. E ao Príncipe que marcha com seus exércitos e que vive à custa de presas de guerra, de saques e de reféns, e maneja o que é dos outros, é necessária essa liberalidade, porque de outra forma não seria seguido por seus soldados. E é possível seres muito mais pródigo com aquilo que não pertence a ti nem a teus súditos, como fizeram Ciro, César e Alexandre, pois gastar o que é de outrem não rebaixa, pelo contrário, eleva a reputação. Gastar o que é seu mesmo, isso sim, é nocivo. E não há coisa que se destrua por si própria como a liberalidade, pois com seu uso continuado vais perdendo a faculdade de usá-la e te tornas ou pobre e necessitado, ou, para fugir da pobreza, rapace e odioso. E dentre as coisas de que um Príncipe se deve guardar estão o ser necessitado ou odioso. E a liberalidade conduz a uma ou a outra coisa. Assim, pois, é mais prudente ter fama de miserável, o que acarreta má fama sem ódio, do que, para conseguir a fama de liberal, ser obrigado a incorrer também na de rapace, o que constitui uma infâmia odiosa.

CAPÍTULO XVII

Da crueldade e da piedade e se é melhor ser amado ou temido

Continuando na exposição das qualidades anteriormente referidas, tenho a dizer que cada Príncipe deve desejar ser tido como piedoso e não como cruel: apesar disso, deve cuidar de empregar convenientemente essa piedade. César Bórgia era considerado cruel; contudo, sua crueldade havia reerguido a Romanha e conseguido uni-la e conduzi-la à paz e à fidelidade. O que, bem considerado, mostrará que ele foi muito mais piedoso do que o povo florentino, o qual, para evitar a pecha de cruel, deixou que Pistoia fosse destruída.[17] Não deve, portanto, importar ao Príncipe a qualificação de cruel para manter seus súditos unidos e leais, porque, com raras exceções, é ele mais piedoso do que aqueles que por muita clemência deixam acontecer desordens, das quais podem nascer assassínios ou rapinagem. É que essas consequências prejudicam todo um povo, e as execuções que provêm do Príncipe ofendem apenas um indivíduo. E, entre todos os Príncipes, os novos são os que menos podem fugir à fama de cruéis, pois os Estados novos são cheios de perigo. Diz Virgílio, pela boca de Dido:

Res dura et regni novitas me talia cogunt
Moliri, et late fines custode tueri.[18]

Não deve ser, portanto, crédulo o Príncipe, nem precipitado, e não deve amedrontar a si próprio, e proceder equilibradamente, com prudência e humanidade, de modo que a confiança demasiada não o torne incauto e a desconfiança excessiva não o faça intolerável.

Nasce daí esta questão debatida: se será melhor ser amado que temido ou vice-versa. Responder-se-á que se desejaria ser uma e outra coisa; mas como é difícil reunir ao mesmo tempo as qualidades que dão aqueles resultados, é muito mais seguro ser temido

---

[17]. Florença fomentava a discórdia entre as facções rivais de Pistoia (Panciatichi e Cancellieri). Em 1502, uma série de motins determinou a ocupação da cidade pelo governo florentino.
[18]. "A dura condição das coisas e o fato mesmo de ser recente o meu reinado obrigam-me ao rigor e a fortificar as fronteiras." Ver *Eneida*, Livro I.

que amado, quando se tenha de falhar em uma das duas. É que os homens geralmente são ingratos, volúveis, simuladores, covardes e ambiciosos de dinheiro, e, enquanto lhes fizeres bem, todos estarão contigo, oferecendo-te sangue, bens, vida, filhos, como disse anteriormente, desde que a necessidade esteja longe de ti. Mas, quando ela se avizinha, voltam-se para outra parte. E o Príncipe que se confiou plenamente em palavras e não tomou outras precauções, está arruinado. Pois as amizades conquistadas por interesse, e não por grandeza e nobreza de caráter, são compradas, não se pode contar com elas no momento necessário. E os homens hesitam menos em ofender aos que se fazem amar do que aos que se fazem temer, porque o amor é mantido por um vínculo de obrigação, o qual, em virtude de serem os homens maus, é rompido sempre que lhe aprouver, ao passo que o temor que se infunde é alimentado pelo receio de castigo, que é um sentimento que não se abandona nunca. Deve, portanto, o Príncipe fazer-se temer de maneira que, se não se fizer amado, pelo menos evite o ódio, pois é fácil ser ao mesmo tempo temido e não odiado, o que sucederá uma vez que se abstenha de se apoderar dos bens e das mulheres de seus cidadãos e de seus súditos, e, mesmo sendo obrigado a atingir a família de alguém, poderá fazê-lo quando houver justificativa conveniente e causa manifesta. Deve, sobretudo, abster-se de se aproveitar dos bens dos outros, porque os homens esquecem mais depressa a morte do pai do que a perda de seu patrimônio. Além disso, não faltam nunca ocasiões para pilhar o que é dos outros, e aquele que começa a viver de rapinagem sempre encontra razões para se apoderar do que é de outrem, o que já não sucede quanto às razões para atingir as famílias, que são mais esporádicas.

Mas quando o Príncipe está em campanha e tem sob seu comando grande número de soldados, então é absolutamente necessário não se importar com a fama de cruel, porque, sem ela, não se conseguiria nunca manter um exército unido e disposto a qualquer ação. Entre as admiráveis ações de Aníbal, enumera-se esta: tendo um exército muito numeroso, composto de homens de todas as idades e nacionalidades, e militando em terras alheias, não surgiu nunca desinteligência alguma em seu seio, nem com relação ao Príncipe, tanto nos bons como nos tempos adversos. Isso não se pode atribuir senão à sua desumana crueldade, a qual, juntamente com infinitas virtudes, o tornou sempre venerável e terrível no conceito de seus soldados. E essas virtudes, por si sós, não bastariam para produzir aquele efeito, se não fora aquela desumana crueldade. E certos historiadores, nisso pouco comedidos, em parte se contentam com admirar essa sua qualidade, e em parte condenam a razão principal dela. E para provar que as outras virtudes, por si sós, não bastariam, pode-se tomar como exemplo Cipião, homem excepcional, não somente em seus tempos, mas também na memória dos fatos que a história conserva, cujos exércitos se insurgiram contra ele na Espanha. Esse fato tem a explicação em sua demasiada bondade, que havia concedido aos soldados mais liberdade do que a que convinha à disciplina militar. Foi, por isso, admoestado severamente no Senado por Fábio Máximo, que o chamou de corruptor do exército romano. Os locrenses, tendo sido barbaramente abatidos por um legado de Cipião, não foram vingados pelo chefe romano, nem a insolência daquele legado foi castigada, fatos esses que nasciam do caráter bondoso de Cipião. E, querendo alguém desculpá-lo no Senado, disse haver muitos homens que sabiam mais não errar do que corrigir os erros dos outros. Esse traço de caráter teria, com o tempo, destruído a fama e a glória de Cipião se ele tivesse continuado no comando, mas, vivendo sob a direção do Senado, essa sua qualidade prejudicial não somente foi anulada, mas se lhe tornou benéfica.

Concluo, pois (voltando ao assunto sobre se é melhor ser temido ou amado), que um Príncipe sábio, amando os homens como eles querem e sendo por eles temido como ele quer, deve basear-se sobre o que é seu e não sobre o que é dos outros. Enfim, deve somente procurar evitar ser odiado, como foi dito.

CAPÍTULO XVIII

DE QUE FORMA OS PRÍNCIPES DEVEM MANTER A PALAVRA

Todos compreendem o quanto seja louvável a um Príncipe manter a palavra e viver com integridade, não com astúcia; contudo, observa-se, pela experiência, em nosso tempos, que houve Príncipes que fizeram grandes coisas, mas em pouca conta tiveram a palavra dada, e souberam, pela astúcia, iludir os homens, superando, enfim, os que foram leais.

Deveis saber, portanto, que existem duas formas de se combater: uma, pelas leis; outra, pela força. A primeira é própria do homem; a segunda, dos animais. Como, porém, muitas vezes a primeira não é suficiente, é preciso recorrer à segunda. Ao Príncipe torna-se necessário, porém, saber empregar convenientemente o animal e o homem. Isso foi ensinado veladamente aos Príncipes, pelos antigos escritores, que relatam o que aconteceu com Aquiles e outros Príncipes antigos, entregues aos cuidados do centauro Quíron, que os educou. É que isso (ter um preceptor metade animal e metade homem) significa que o Príncipe sabe empregar uma e outra natureza. E uma sem a outra é a origem da instabilidade. Sendo, portanto, um Príncipe obrigado a bem servir-se da natureza da besta, deve dela tirar as qualidades da raposa e do leão, pois este não tem defesa alguma contra os laços, e a raposa, contra os lobos. Precisa, pois, ser raposa para conhecer os laços e leão para aterrorizar os lobos. Os que se fazem unicamente de leões não entendem de Estado. Por isso, um Príncipe prudente não pode nem deve guardar a palavra dada quando isso se lhe torne prejudicial e quando as causas que o determinaram cessem de existir. Se os homens todos fossem bons, esse preceito seria mau. Mas, dado que são maus e que não a observariam a teu respeito, também não és obrigado a cumpri-la para com eles. Jamais faltaram aos Príncipes razões legítimas para dissimular o descumprimento da palavra empenhada. Disso poder-se-iam dar inúmeros exemplos modernos, mostrando quantas convenções e quantas promessas se tornaram írritas e vãs pela deslealdade dos Príncipes. E, dentre estes, o que melhor soube valer-se das qualidades da raposa saiu-se melhor. Mas é necessário disfarçar muito bem essa qualidade e ser bom simulador e dissimulador. E tão simples são os homens, e obedecem tanto às necessidades presentes, que aquele que engana sempre encontrará quem se deixe enganar. Não quero deixar de falar pelo menos de um dos exemplos novos. Alexandre VI não pensou e não fez outra coisa senão enganar os homens, tendo sempre encontrado ocasião para assim proceder. Jamais existiu homem que possuísse maior segurança em asseverar, e que afirmasse com juramentos mais solenes o que, depois, não cumpriria. No entanto, sempre conseguia enganar a seu bel-prazer, pois ele conhecia muito bem esse lado da natureza humana.[19]

Contudo, o Príncipe não precisa possuir todas as qualidades anteriormente citadas, bastando que aparente possuí-las. Antes, teria eu a audácia de afirmar que, possuindo-as e usando-as todas, essas qualidades seriam prejudiciais, ao passo que, aparentando possuí-las, são benéficas. Por exemplo: de um lado, parecer ser efetivamente piedoso, leal, humano, íntegro, religioso, e, de outro, ter o ânimo de, sendo obrigado pelas circunstâncias a não o ser, tornar-se o contrário. E há de se entender o seguinte: um Príncipe, e especialmente um Príncipe novo, não pode observar todas as coisas a que são obrigados os homens considerados bons, sendo frequentemente forçado, para manter o governo, a agir contra a caridade, a lealdade, a humanidade e a religião. É necessário, por isso, que possua ânimo disposto a voltar-se para a direção a que os ventos e as variações da sorte o impelirem e, como disse anteriormente, não se afastar do bem, mas, podendo, saber ingressar no mal, se a isso estiver obrigado. O Príncipe deve, no entanto, ter muito cuidado em não deixar escapar da boca expressões que não revelem as cinco qualidades mencionadas, devendo aparentar, à vista e ao ouvido, ser todo piedade, lealdade, integridade, humanidade e religião. Não há qualidade de que mais se careça do que esta última. É que os homens, em geral, julgam mais pelos olhos do que pelas mãos, pois todos podem ver, mas poucos são os que sabem sentir. Todos veem o que tu pareces, mas poucos o que és realmente, e estes poucos não têm a audácia de contrariar a opinião dos que têm por si a majestade do Estado. Nas ações de todos os homens, principalmente dos Príncipes, onde não há tribunal para recorrer, o que importa são os fins. Procure, pois, um Príncipe, vencer e conservar

---

19. Dizia-se de Alexandre VI que ele nunca fazia o que dizia, ao passo que César Bórgia nunca dizia o que ia fazer.

o Estado. Os meios que empregar serão sempre julgados honrosos e louvados por todos, porque o vulgo é levado pelas aparências e pelos resultados dos fatos consumados, e o mundo é constituído pelo vulgo, e não haverá lugar para a minoria se a maioria tem onde se apoiar. Um Príncipe de nossos tempos, cujo nome não convém declarar, prega incessantemente a paz e a palavra empenhada, sendo, no entanto, inimigo acérrimo de uma e de outra.[20] E qualquer delas, se ele efetivamente a observasse, ter-lhe-ia arrebatado, mais de uma vez, a reputação ou o Estado.

CAPÍTULO XIX

DE COMO SE DEVE EVITAR O SER DESPREZADO E ODIADO

Uma vez que me referi às mais importantes das qualidades anteriormente mencionadas, das outras quero falar ligeiramente, de um modo geral. O Príncipe procure evitar, como foi dito anteriormente, o que o torne odioso ou desprezível, e sempre que assim agir, terá cumprido seu dever e não encontrará nenhum perigo nos outros defeitos. O que principalmente o torna odioso, como já disse, é o ser rapace e usurpador dos bens e das mulheres de seus súditos. Desde que não se tirem aos homens os bens e a honra, vivem eles satisfeitos e só se deverá combater a ambição de poucos, a qual se pode sofrear de muitos modos e com facilidade. Torna-o desprezível o ser considerado volúvel, leviano, efeminado, pusilânime e irresoluto. E essas são coisas que devem ser evitadas pelo Príncipe como o navegante evita um rochedo. Deve ele procurar que em suas ações se reconheça grandeza, coragem, gravidade e fortaleza. Quanto às ações privadas de seus súditos, deve fazer com que sua sentença seja irrevogável, conduzindo-se de tal forma que a ninguém passe pela mente enganá-lo ou fazê-lo mudar de ideia.

O Príncipe que conseguir formar tal opinião de si adquire grande reputação; e contra quem tem reputação dificilmente se conspira e dificilmente é atacado enquanto for tido como excelente e reve-

---

20. Alusão a Fernando, o Católico.

renciado pelos seus. Um Príncipe deve ter duas razões para o receio: uma de ordem interna, por parte de seus súditos, outra de ordem externa, por parte dos poderosos de fora. Defender-se-á destes com boas armas e com bons aliados; e se tiver armas terá sempre bons amigos. As coisas internas, por sua vez, estarão sempre estabilizadas se estabilizadas estiverem as de fora, salvo se aquelas já não estiverem perturbadas por uma conspiração. Mesmo se as externas se agitassem, se o Príncipe tivesse agido e vivido como escrevi, e não desalentasse, resistiria sempre a qualquer ataque, como havia narrado relativamente ao espartano Nábis. A respeito dos súditos, porém, quando as questões externas estão em calma, deve sempre recear que conspirem secretamente, perigo de que o Príncipe se afasta se não se tornou odiado ou desprezado e se tiver feito com que o povo esteja satisfeito com ele: e isso é necessário conseguir pelas formas a que anteriormente se fez longa referência. Ora, um dos remédios mais eficazes que um Príncipe possui contra as conspirações é não se tornar odiado pela população, pois quem conspira julga sempre que vai satisfazer os desejos do povo com a morte do Príncipe; se julgar, porém, que com isso ofenderá o povo, não terá coragem de tomar tal partido, porque as dificuldades com que os conspiradores teriam de lutar seriam infinitas. Vê-se, pela experiência, que muitas têm sido as conspirações, mas que poucas delas tiveram êxito, pois quem conspira não pode estar só, nem pode ter como companheiros senão aqueles que estiverem desgostosos. E logo que revelas tuas intenções a um descontente, dar-lhe-ás motivo de contentamento, pois ele pode esperar qualquer vantagem da traição do segredo, de forma que, vendo desse lado só ganhos certos, e, de outro, só vendo dúvidas e muitos perigos, somente um amigo, como raros, ou um inimigo implacável do Príncipe se conservará fiel à conspiração. Em suma, direi que, por parte do conspirador, não há senão medo, inveja e a suspeita da punição, que o atormenta; por parte do Príncipe existe a majestade do principado, as leis, a defesa dos amigos e do Estado, que o resguardam: tanto que, acrescentando a tudo isso a estima popular, é impossível que exista alguém tão temerário que se abalance a conspirar. Ordinariamente, o que um conspirador receia antes de levar a efeito o mal, deverá recear também depois, tendo o povo por inimigo, após o fato consumado, e não poderá por isso esperar qualquer refúgio.

Poderia eu citar numerosos exemplos dessa matéria: limitar-me-ei, porém, a um só, que nos foi legado pela recordação de nossos pais. Tendo sido assassinado pelos Canneschi o senhor de Bolonha, *messer* Aníbal Bentivoglio, avô do atual *messer* Aníbal, não ficando da família senão *messer* Giovanni, criança de colo, o povo, logo depois do homicídio, sublevou-se e matou todos os Canneschi. Isso em decorrência da benevolência popular com a qual a casa dos Bentivogli contava naquela época, benevolência essa tão grande que, não tendo restado em Bolonha um só membro daquela família que pudesse, morto Aníbal, governar o Estado, e havendo indício de que havia em Florença um jovem pertencente àquela família, tido, até então, como filho de um ferreiro, os bolonheses ali foram procurá-lo e lhe entregaram o governo da cidade, que foi governada por ele até que *messer* Giovanni alcançasse idade suficiente para reinar.

Concluo, portanto, afirmando que a um Príncipe pouco devem importar as conspirações se é amado pelo povo, mas quando este é seu inimigo e o odeia, deve temer tudo e a todos. Os Estados bem organizados e os Príncipes prudentes preocuparam-se sempre em não reduzir os grandes ao desespero e satisfazer e contentar o povo, porque essa é uma das questões mais importantes que um Príncipe deve ter em mente. Em nossos tempos, entre os reinos bem organizados e governados, deve-se enumerar o francês. Encontram-se nele numerosas boas instituições, das quais dependem a liberdade e a segurança do rei. A primeira delas é o Parlamento e a autoridade que possui, pois o homem que organizou aquele reino, conhecendo, de um lado, a ambição e a insolência dos poderosos, e julgando necessário pôr-lhes um freio à boca para corrigi-los, e, de outro, conhecendo o ódio do povo contra os grandes, motivado pelo medo, e querendo protegê-los, não permitiu que essa tarefa ficasse a cargo do rei, para desculpá-lo da acusação dos grandes quando favorecesse o povo, e do povo quando favorecesse os poderosos. Por isso constituiu um terceiro juiz que fosse aquele que, sem responsabilidade do rei, deprimisse os grandes e favorecesse os menores. Essa organização não podia ser melhor nem mais prudente, nem se pode negar que seja a melhor causa da segurança do rei e do reino. Pode-se daí tirar notável instituição; os Príncipes devem encarregar a outrem da imposição de penas; os atos de graça, pelo contrário, só a eles mesmos, em pessoa, devem estar afetos. Concluo novamente que um Príncipe deve estimar os grandes, mas não se tornar odiado pelo povo.

Poderia parecer a muitos, considerando-se a vida e morte de certos imperadores romanos, que constituíssem exemplos contrários a essa minha opinião, sendo que alguns deles, apesar de terem vivido sempre exemplarmente e demonstrado possuir grandes virtudes, perderam o poder, ou foram mortos pelos seus, que contra eles conspiraram. Desejando responder a essas objeções, narrarei as causas de sua ruína, que são diferentes das que aduzi, procurando tomar particularmente em consideração aquelas que parecem notáveis a quem lê as ações daqueles tempos. Basta-me citar todos os imperadores que se sucederam no governo, desde o filósofo Marco Aurélio até Maximino, os quais foram: Marco; seu filho Cômodo; Pertinax; Juliano; Severo; seu filho Antonino Caracala; Macrino; Heliogábalo; Alexandre e Maximino. Deve-se primeiramente atentar em que, enquanto nos outros principados é necessário lutar apenas contra a ambição dos grandes e a insolência do povo, os imperadores romanos tinham pela frente uma terceira dificuldade, que era a de ter que suportar a crueldade e a rapacidade dos soldados. Essa dificuldade era tão grande que se tornou a causa da ruína de muitos, pois é difícil satisfazer a um tempo aos soldados e ao povo, pois que este, amante da paz, amava, consequentemente, os Príncipes moderados, e os soldados estimavam o Príncipe que possuísse ânimo guerreiro e que fosse insolente, cruel e rapace. Queriam que ele usasse dessas qualidades contra o povo para poder ganhar soldo dobrado e dar largas à sua rapacidade e crueldade. Isso fez com que os imperadores que, por natureza ou por inabilidade, não tinham reputação suficiente para refrear os soldados nem o povo sempre se arruinassem. E a maior parte deles, especialmente os novos que conquistavam o principado, ao conhecer a dificuldade desses dois elementos, procuravam satisfazer aos soldados, não dando importância às ofensas ao povo; era necessário tomar esse partido, pois, não sendo possível aos Príncipes deixar de ser odiados por alguém, deviam esforçar-se antes de mais nada por não ser odiados pelas classes. E quando não o podem conseguir, devem procurar, com muita habilidade, fugir ao ódio das classes mais poderosas. Por isso, os imperadores que, por serem novos, precisavam de favores extraordinários, aderiram aos soldados antes de aderir ao povo, o que se lhes tornava útil ou não, conforme esse Príncipe soubesse manter a reputação entre eles. Por essas causas referidas é que Marco, Pertinax e Alexandre, homens de vida moderada, amantes da justiça, inimigos da crueldade, humanos e benignos, todos, com exceção de Marco, tiveram triste fim. Só este viveu e morreu honradíssimo, porque chegou ao poder *jure hereditario*[21] e não lhe era necessário fazer reconhecer seu poder, nem pelo povo, nem pelos soldados. Ademais, sendo portador de muitas virtudes, que o tornavam venerável, enquanto viveu, sempre manteve a ambos, povo e exército, em ordem, em seus justos termos, e nunca foi odiado nem desprezado. Pertinax, porém, foi feito imperador contra a vontade dos soldados, os quais, tendo sido habituados a viver licenciosamente sob o domínio de Cômodo, não puderam suportar a vida honesta que Pertinax tencionava impor-lhes. Por isso, tendo ele despertado ódio, e tendo-se ao ódio juntado o desprezo, pelo fato de ser velho, Pertinax arruinou-se logo no princípio de sua administração. E é de notar aqui que o ódio se adquire quer pelas boas, quer pelas más ações. Por isso, um Príncipe, querendo manter o Estado, como disse anteriormente, é frequentemente obrigado a não ser bom, porque quando aquela classe, povo, soldados ou grandes que sejam, de que tu julgas ter necessidade para te manteres no poder, é corrompida, convém que sigas teu pendor para satisfazê-la, e, nesse caso, as boas ações são prejudiciais. Mas falemos de Alexandre, que foi tão bondoso que entre os louvores que se lhe atribuem está o de não ter, durante os catorze anos que manteve o Império, mandado executar quem quer que fosse sem prévio julgamento. Apesar disso, sendo considerado efeminado e homem que se deixava dominar pela mãe e tendo por isso caído no desprezo, o exército conspirou e ele foi assassinado.

Falando, agora, de outro lado, das qualidades de Cômodo, Severo, Antonino, Caracala e Maximino, vereis que foram extrema-

---

21. Por direito hereditário.

mente cruéis e rapaces. Para satisfazer os soldados, não deixaram de cometer nenhuma daquelas injúrias que se pudessem cometer contra o povo, e todos, excetuando-se Severo, tiveram triste fim. É que Severo foi tão valoroso que, mantendo a amizade dos soldados, embora oprimindo o povo, pôde sempre reinar com felicidade, porque aquelas suas virtudes o tornavam tão admirável no conceito dos soldados e do povo que este ficava, de certa forma, atônito, e aqueles, reverentes e satisfeitos. E uma vez que a ação de Septímio Severo mostrou-se grandiosa e extraordinária a um Príncipe novo, pretendo indicar com brevidade com que competência soube agir como raposa e leão, naturezas que, como antes asseverei, um Príncipe tem de imitar. Conhecendo Severo a indolência do imperador Juliano, persuadiu o exército, do qual era capitão na Ilíria, de que era oportuno ir a Roma, para vingar a morte de Pertinax, assassinado pelos pretorianos, e, sob esse pretexto, sem aparentar que aspirava ao poder, conduziu seu exército contra Roma, e chegou à Itália antes mesmo da notícia de sua partida. Chegando a Roma, foi ele, pela pressão do medo, eleito imperador pelo Senado e Juliano foi morto. Depois disso, restavam ainda duas dificuldades a Severo para se assenhorear de todo o Estado: uma, na Ásia, onde Pescênio Nigro, chefe dos exércitos asiáticos, proclamara-se imperador; e outra no Ocidente, onde Albino também queria ascender ao Império. E como julgasse perigoso declarar-se inimigo dos dois, deliberou atacar Pescênio Nigro e enganar Albino. A este escreveu que, tendo sido eleito imperador pelo Senado, queria dividir com ele aquela honra; mandou-lhe o título de César e, por deliberação do Senado, tornou-o seu colega. Albino julgou que tais coisas fossem verdade, mas Severo, depois de ter vencido e morto Pescênio Nigro e pacificado o Oriente, voltou a Roma e se queixou no Senado de que Albino, esquecido dos benefícios dele recebidos, tentara matá-lo traiçoeiramente e, por isso, era obrigado a ir punir a ingratidão. Depois, foi a seu encontro, na França, e lhe tirou o governo e a vida. Quem examinar cuidadosamente as ações desse homem acabará por julgá-lo um ferocíssimo leão e uma astutíssima raposa e verá que foi temido e reverenciado por todos e não odiado pelo exército, e não se admirará se ele – homem novo – pôde manter tão grande poder; é que sua alta reputação o defendeu sempre daquele ódio que o povo lhe poderia ter votado, em virtude de suas rapinagens. E Antonino, seu filho, foi também homem que tinha excelente proceder, que o tornava maravilhoso no conceito do povo e benquisto pelos soldados, porque era militar, suportava otimamente qualquer fadiga e desprezava os manjares delicados e quaisquer outros elementos de conforto: isso era o suficiente para fazer com que se tornasse estimado por todos os exércitos. Não obstante, sua ferocidade e crueldade foram tão grandes e inauditas que mandou matar grande número de particulares e assim sacrificou grande parte do povo de Roma e todo o de Alexandria, de tal modo que se tornou muitíssimo odiado por todos e começou a ser temido também por aqueles que o cercavam. Afinal, foi assassinado por um centurião, em meio de seu exército. É de notar nesse ponto que tais assassínios, deliberados por homens obstinados, são impossíveis de evitar pelos Príncipes, pois que todo aquele que não teme a morte poderá executá-los. Não deve, porém, o Príncipe atemorizar-se, porque são muito raros. Deve apenas guardar-se de não injuriar gravemente alguma das pessoas de que se serve e que ele tem junto a si, a serviço de seu principado, como fez Antonino. Havia este assassinado indignamente um irmão daquele centurião, e ainda ameaçava este todo dia, mas, apesar disso, conservou-o em sua guarda, o que vinha a ser coisa temerária e capaz de arruiná-lo, como aconteceu.

Passemos agora a Cômodo, a quem teria sido fácil manter o poder, por tê-lo alcançado *jure hereditario*, sendo filho de Marco, e lhe bastava apenas seguir as pegadas do pai para contentar o exército e o povo. Mas, como era de índole cruel e bestial, para poder usar de sua rapacidade contra o povo, pôs-se a favorecer os soldados e os tornou licenciosos; por outra parte, não se preocupando com a dignidade, descendo frequentemente às arenas para combater com os gladiadores e fazendo outras coisas vis, pouco dignas da majestade imperial, tornou-se desprezível no conceito dos soldados. Tendo-se tornado, dessa forma, odiado por uns e desprezado por outros, conspirou-se contra ele e foi assassinado. Resta-nos narrar as qualidades de Maximino. Este foi homem extraordinariamente belicoso, e, estando os exércitos enfastiados com a passividade de Alexandre, de que falei anteriormente, morto este, elegeram-no para o governo. Maximino, porém, não reinou por muito tempo, porque duas coisas o tornaram odiado e desprezado: primeiro, ser de baixa extração, pois já fora pastor na Trácia (fato que era conhecido por todos e o rebaixava muito no conceito de toda a gente); segundo, tendo, quando de sua elevação ao Império, adiado sua ida a Roma para entrar na posse da dignidade imperial, dera de si fama de ser muito cruel, pois, por intermédio de seus prefeitos, em Roma e em toda a parte, perpetrara numerosas perversidades. Assim, movidos todos pelo desprezo de sua baixa ascendência e cheios de ódio pelo temor de sua ferocidade, surgiram as conspirações. Revoltou-se primeiramente a África; depois, o Senado e todo o povo romano, e, mais tarde, toda a Itália esteve contra ele. Juntou-se a esse movimento seu próprio exército, o qual estava em campanha, sitiando Aquileia, e, tendo encontrado dificuldade para isso, enraivecido pela crueldade do Príncipe, o matou, pois o viu cercado de inimigos e já não o temia.

Não quero falar de Heliogábalo, nem de Macrino, nem de Juliano, os quais, por terem sido inteiramente menosprezados, não tardaram a ser mortos; não quero falar deles, e sim passar à conclusão deste assunto. Assim, digo que os Príncipes de nossos tempos em seu governo não têm essa dificuldade de dar satisfações exorbitantes aos soldados, pois, embora se deva ter para com aqueles certa consideração, rapidamente resolve-se a situação, por não ter nenhum desses Príncipes um exército que se tenha desenvolvido com os governos e as administrações das províncias, como era nos exércitos do Império Romano. E se, naquela época era necessário satisfazer mais aos soldados do que ao povo, agora é mais necessário a todos os Príncipes – exceto ao grão-turco e ao sultão do Egito – satisfazer mais ao povo do que ao exército, porque este é menos poderoso do que aquele. Excetuo o grão-turco pelo fato de ele conservar em torno de si doze mil infantes e quinze mil soldados de cavalaria, sendo que disso dependem a segurança e o poder de seu reino. É necessário, portanto, que, em lugar de qualquer outra consideração para com outrem, aquele seja amigo dos exércitos. A mesma coisa sucede ao reino do sultão do Egito; estando tudo nas mãos dos soldados, convém também a ele mantê-los como seus amigos, sem se preocupar com o povo.

E deve-se notar que esse reinado do sultão é diferente de todos os outros principados, porque é semelhante ao papado, o qual não se pode classificar nem como principado hereditário, nem como principado novo, posto que não são os filhos do Príncipe antigo que se tornam herdeiros e ficam senhores, mas sim aqueles que são elevados a esse posto pelos que têm autoridade. E, como isso seja uma antiga instituição, não se pode chamar de principado novo; e também porque naqueles não existem as dificuldades existentes nestes, pois, embora o Príncipe seja novo, as regras do Estado são antigas e ordenadas de sorte a recebê-lo como se fosse seu senhor hereditário.

Voltemos, porém, a nosso assunto. Direi que quem considerar o que antes referi verá como o ódio ou o desprezo foram causas da ruína dos imperadores mencionados e conhecerá também os motivos por que, parte daqueles procedendo de uma forma e outros de maneira contrária, alguns deles terminaram bem e outros tiveram triste fim; e também por que a Pertinax e Alexandre, por serem Príncipes novos, foi inútil e danoso querer imitar Marco, que no principado estava *jure hereditario*. Igualmente, por que a Caracala, Cômodo e Maximino foi pernicioso imitar a Severo, por não terem possuído tanta virtude que bastasse para que pudessem seguir-lhe o caminho. Um Príncipe novo, em um principado novo, não pode, portanto, imitar as ações de Marco, nem, da mesma forma, é necessário imitar as de Severo. Deve, sim, aproveitar de Severo as qualidades que forem necessárias para fundar seu Estado e, de Marco, aproveitar as que sejam gloriosas e convenham para manter um Estado que já esteja estabelecido e firme.

CAPÍTULO XX

SE AS FORTALEZAS E MUITAS OUTRAS COISAS QUE DIA A DIA SÃO FEITAS PELO PRÍNCIPE SÃO ÚTEIS OU NÃO

Alguns Príncipes, para manter seguramente o Estado, desarmaram seus súditos, outros dividiram as cidades conquistadas conservando facções para combater-se mutuamente, outros alimentaram inimizades contra si mesmos, outros dedicaram-se à conquista do apoio daqueles que lhes eram suspeitos no início de seu governo, alguns outros edificaram fortalezas, outros, ainda, as arruinaram. E, se bem que todas essas coisas não se possam julgar em definitivo se não se examinarem as particularidades dos Estados onde se tivesse de tomar qualquer dessas deliberações, falarei contudo de um ponto de vista geral, compatível com a própria matéria.

Nunca um Príncipe novo desarmou seus súditos, antes, sempre que os encontrou desarmados, armou-os. Essas armas ficarão tuas e se tornarão fiéis aqueles que te eram suspeitos, mantêm-se fiéis aqueles que já o eram, e de súditos se transformam em teus auxiliares. E como não se pode armar a todos os súditos, uma vez que beneficies àqueles a quem armas, podes agir mais seguramente com relação aos outros. A diferença de tratamento para com aqueles obriga-os para contigo, e os outros desculpar-te-ão julgando necessário que maior recompensa tenham os que estão expostos a maiores perigos e estão mais ligados a ti por efeito mesmo dessas obrigações.

Desarmando-os, principias por ofendê-los, mostrando que duvidas deles, seja porque os tens como covardes, seja porque não confias neles. Qualquer dessas opiniões criará ódio contra ti. E como não podes ficar desarmado, convém que te voltes para as tropas mercenárias, cujas qualidades já referi. Mesmo que fossem boas, não podem ter força suficiente para te defender dos inimigos poderosos, e dos súditos suspeitos. Como disse, um novo Príncipe, em um principado novo, sempre organizou a força armada. Desses exemplos a história está repleta. Mas quando um Príncipe conquista um novo Estado que seja anexado aos domínios, então é necessário desarmar aquele Estado, exceto aqueles que tenham colaborado contigo para que o conquistasses, e mesmo a estes é necessário, com o tempo, tornar apáticos e amolecidos, de modo que todas as armas desse Estado estejam com teus próprios soldados, que viviam junto de ti no Estado antigo.

Nossos antepassados e aqueles que eram tidos como prudentes costumavam dizer que Pistoia tinha de ser mantida pela divisão dos partidos, e Pisa pelas fortalezas, e assim agiam de maneira diversa nas cidades conquistadas para poder conservá-las mais facilmente. Essa era a política mais sábia provavelmente naqueles tempos em que a Itália estava, de certo modo, equilibrada, mas não creio que possa servir hoje como preceito; não acredito que as divisões trouxessem qualquer bem; antes, pelo contrário, acontece que, quando o inimigo se avizinha, as cidades divididas perdem-se logo, porque a parte mais fraca aderirá às forças externas e a outra não se poderá manter. Os venezianos, obedecendo, como creio, as razões mencionadas, costumavam fomentar as facções guelfas e gibelinas nas cidades que estavam sob seu domínio. E, se bem que não os deixassem chegar à luta, alimentavam essas discordâncias, para que, ocupados os cidadãos naquelas suas diferenças, não se unissem contra eles. Isso, como se viu, não lhes deu bons resultados, porque, tendo os venezianos sido desbaratados em Vailá, algumas daquelas cidades tomaram ânimo e lhes arrebataram todos os territórios. Tal política revela, portanto, fraqueza do Príncipe, porque em um principado poderoso jamais se permitirão semelhantes divisões; elas são proveitosas apenas nos tempos de paz, podendo-se, mediante esse sistema, governar os súditos mais facilmente. Vindo a guerra, porém, percebe-se sua falácia. Os Príncipes se tornam grandes, sem dúvida, quando superam as dificuldades e a oposição que se lhes movem. Assim, a fortuna, máxima quando quer engrandecer a um novo Príncipe, o qual tem mais necessidade de conquistar reputação do que um hereditário, suscita-lhe inimigos que o guerreiam a fim de que tenha ele a oportunidade de vencê-los e subir mais, valendo-se daquela escada que os próprios inimigos lhe estendem. Muitos julgam, por isso, que um Príncipe sábio, quando tiver ocasião, deve fomentar com astúcia certas inimizades contra ele mesmo, a fim de que pela vitória sobre os inimigos mais se possa engrandecer. Os Príncipes, e principalmente os recentes, têm encontrado mais lealdade e maiores utilidades nos homens que no início de seu governo lhes eram suspeitos, do que naqueles que, naquela ocasião, lhes haviam inspirado confiança. Pandolfo Petrucci, senhor de Siena, dirigia o Estado mais com o auxílio daqueles de quem suspeitara do que daqueles em que tivera confiança. Mas de tal matéria não é possível estabelecer regras gerais, pois variam muito as circunstâncias de cada caso. Direi apenas que os homens que foram hostis à fundação de um novo governo, para manter-se, carecem eles mesmos de apoio, e o Príncipe sempre poderá conquistá-los com grande facilidade. Eles, por sua vez, são forçados a servi-lo com tanto maior lealdade quanto reconheçam a necessidade de anular, pelas ações, aquela péssima opinião que tinha o Príncipe a seu respeito. Assim, a este aproveitam mais os serviços dos antigos adversários do que os daqueles que, por ter demasiada segurança, negligenciam os interesses do Príncipe.

Agora, como a matéria mesma o propicia, não quero deixar de lembrar aos Príncipes que tenham tomado recentemente a direção de um Estado, mediante o favor da população, que considerem bem que razão os terá levado a favorecê-los: e se ela não for afeição natural para com eles, e sim o descontentamento com o antigo governo, ao Príncipe só muito dificilmente será possível conservar a amizade daqueles, pois será impossível satisfazê-los. E considerando bem, como os exemplos que há das coisas antigas e modernas, relativamente à razão desse fato, ver-se-á que ao Príncipe é muito mais fácil conquistar a amizade daqueles homens que estavam contentes com o regime antigo, sendo, portanto, seus inimigos, do que a daqueles que, por descontentes, fizeram-se seus amigos e aliados, ajudando-o na conquista do Estado.

Tem sido hábito dos Príncipes, para poder manter mais seguramente seu Estado, edificar fortalezas que sejam a rédea e o freio dos que tivessem a intenção de atacá-lo e possuir um refúgio seguro no caso de sofrer um ataque inesperado. Louvo esse modo de agir, porque é usado desde os tempos remotos; apesar disso, *messer* Niccolò Vitelli, em nossos tempos, viu-se na contingência de destruir duas fortalezas na Cidade do Castelo para poder manter aquele Estado. Guido Ubaldo, duque de Urbino, reconquistando seu domínio, de onde fora expulso por César Bórgia, destruiu, desde os alicerces, todas as fortificações daquela província, e julgou que sem elas seria mais difícil perder o Estado novamente. Os Bentivogli, regressando a Bolonha, tiveram o mesmo procedimento. As fortalezas, portanto, são úteis ou não segundo as circunstâncias, e se trazem benefícios, por um lado, arruinam-te por outro. Pode-se explicar esse fato da seguinte maneira: o Príncipe que tiver mais medo do seu povo do que dos estrangeiros deve construir fortificações, mas aquele que tiver mais temor dos estrangeiros do que do povo não deve preocupar-se com isso. O castelo de Milão, edificado por Francesco Sforza, foi e será o maior motivo de perturbações para a casa dos Sforza do que outra coisa naquele Estado. Mas ainda a melhor fortaleza que possa existir é o não ser odiado pelo povo, pois se tiveres fortificações e fores odiado por ele, elas não poderão salvar-te, pois não faltam nunca aos povos armados Príncipes estrangeiros que desejem ajudá-los. Em nossos tempos, observa-se que as fortalezas não deram proveito a nenhum Príncipe, a não ser à condessa de Forli, quando morreu o conde Girolamo, seu esposo, porque graças às fortalezas é que pôde escapar à fúria popular e esperar socorros de Milão, conservando assim seu Estado. E a época era tal que os de fora não podiam socorrer o povo. Entretanto, também à condessa de Forli as fortalezas pouco adiantaram, quando César Bórgia lhe assaltou o Estado e o povo, inimigo daquela, pôs-se ao lado do conquistador. Portanto, quer nessa ocasião, quer antes, teria sido mais seguro para ela não ser odiada pelo povo do que possuir fortalezas. Considerando-se, pois, todas essas coisas, louvarei os que construírem fortalezas e também os que não as construírem, e lamentarei aqueles que, fiando-se em tais meios de defesa, não se preocuparem com o fato de serem odiados pelo povo.

CAPÍTULO XXI

O QUE A UM PRÍNCIPE CONVÉM REALIZAR PARA SER ESTIMADO

Nada faz estimar tanto um Príncipe como os grandes empreendimentos e o dar de si raros exemplos. Temos, em nossos tempos, Fernando de Aragão, atualmente rei da Espanha. A esse Príncipe pode-se chamar quase que de novo, porque de um rei fraco se tornou, pela fama e pela glória, o primeiro rei cristão; e se considerardes suas ações, vereis que são todas altíssimas, havendo algumas extraordinárias. No começo de seu reinado, assaltou Granada, e esse empreendimento constituiu a base de seu Estado. Primeiro, agiu despreocupadamente e com a certeza de que não seria impedido: os barões de Castela, com a atenção presa na guerra referida, não cogitavam de fazer inovações. Fernando conquistava, então, naquele meio, reputação e autoridade sobre eles, que disso não se apercebiam. Com dinheiro da Igreja e do povo, pôde manter exércitos e, por uma longa guerra, assentar as bases de seu próprio renome como militar. Além disso, para poder lançar-se em maiores empresas, servindo-se sempre da religião, dedicou-se a uma piedosa crueldade expulsando e livrando seu reino dos *marranos*, exemplo que não podia ser mais piedoso. Sob essa mesma capa de religião, atacou a África; levou a efeito a expedição da Itália; mais tarde, atacou a França, e assim sempre fez e urdiu grandes coisas, que mantiveram sempre em suspenso e cheios de admiração os ânimos de seus súditos, empolgados pela espera do sucesso final desses feitos. E nasceram essas suas ações de tal modo que, entre uma e outra, nunca deu tempo aos homens de poder agir contra ele.

É ainda muito conveniente a um Príncipe dar raros exemplos quanto a seu governo (semelhantes àqueles que se narram de *messer* Bernabò de Milão); quando alguém tenha realizado qualquer coisa de extraordinário, de bem ou de mal na vida civil, para premiá-lo ou puni-lo, o Príncipe deve agir de modo tal que dê margem a largos comentários. E, sobretudo, deve um Príncipe trabalhar no sentido de, em cada ação, conquistar fama de grande homem. É ainda estimado um Príncipe quando sabe ser verdadeiro amigo e verdadeiro inimigo, isto é, quando, sem qualquer preocupação, age abertamente em favor de alguém contra um terceiro. Esse partido será sempre mais útil do que o conservar-se neutro, porque se dois poderosos vizinhos teus se puserem a brigar, ou são de tal feitio que, vencendo um deles, tenhas de temer o vencedor, ou não. Em qualquer caso ser-te-á sempre mais útil descobrir-te e fazer guerra de fato, porque no primeiro caso, se não te descobrires, serás sempre presa de quem vencer, com grande prazer daquele que foi vencido, e não tens razão nem coisa alguma em tua defesa, e nem quem te acolha. Quem vence não quer amigos suspeitos e que não ajudem nas adversidades; quem perde não te aceitará, porque não quiseste, de armas na mão, correr a mesma sorte. Foi Antíoco para a Grécia, a chamado dos etólios, para expulsar os romanos. Antíoco enviou embaixadores aos aqueus, que eram aliados dos romanos, para concitá-los a se manterem neutros; por outro lado, os romanos tratavam de persuadi-los para que tomassem armas contra aquele. Essa matéria veio a discutir-se no concílio dos aqueus, onde o delegado de Antíoco tratava de fazer com que se mantivessem neutros, ao que o delegado dos romanos respondeu: *Quod autem isti dicunt non interponendi vos bello, nihil magis alienum rebus vestris est; sine gratia, sine dignitate, praemium victoris eritis.*[22] E acontecerá sempre que aquele que não é teu amigo pedir-te-á que sejas neutro e aquele que é teu amigo pedirá que tomes de armas abertamente. E os Príncipes irresolutos, para se afastar desses perigos, seguem, o mais das vezes, aquela linha neutra, e quase sempre são malsucedidos. Mas quando corajosamente tomas partido franco por um dos contendores, se aquele com quem te ligaste vencer, ainda que seja poderoso e que fiques à sua mercê, terá ele obrigações para contigo e será compelido a ter amizade por ti; e os homens não são nunca tão maus que queiram oprimir a quem devem ser gratos. Ademais, as vitórias não são nunca tão completas que o vencedor não tenha de levar em conta outras considerações, principalmente de justiça.

Mas se aquele a quem ajudas, perder, serás socorrido por ele quando puder, e, nesse caso, ficarás ligado a uma fortuna que pode ressurgir. No segundo caso, quando os combatentes são tais que não tenhas de recear a vitória de qualquer, a tua aliança com um deles é tanto mais prudente quanto assim provocarás a ruína de um com o auxílio de quem o deveria salvar, se fosse sábio, e vencendo tu, teu aliado ficará a tua discrição e é impossível que não vença com tua ajuda.

Note-se agora que um Príncipe deve ter o cuidado de não fazer aliança com um que seja mais poderoso, senão quando a necessidade o compelir, como se expôs anteriormente, pois que, vencen-

---

22. "Quanto à opinião de que não deveis intervir na guerra, nada é mais nocivo aos vossos próprios interesses, pois sem compensação e ingloriamente sereis prezado vencedor." (Lívio, XXXV; citação adaptada por Maquiavel.)

do, ficará prisioneiro do aliado; e os Príncipes devem evitar o mais que possam a situação de estar à mercê de outrem. Os venezianos aliaram-se à França contra o duque de Milão, e podiam deixar de efetuar tal união; e desse fato resultou a ruína deles. Mas quando não se pode deixar de fazer aliança, como aconteceu com os florentinos quando o papa e a Espanha foram assaltar a Lombardia pelas armas, então o Príncipe deve aderir, pelas razões mencionadas anteriormente. Nenhum Estado, acredite, terá a capacidade de tomar decisões absolutamente certas. Pense antes em ter de tomá-las sempre incertas, pois isso está na ordem das coisas, que nunca deixa, quando se procura evitar algum inconveniente, de incorrer em outro. A prudência está justamente em saber conhecer a natureza dos inconvenientes e adotar o menos prejudicial como sendo bom.

Deve ainda um Príncipe mostrar-se amante das virtudes e honrar os que se revelam grandes em uma arte qualquer. Além disso, deve estimular seus cidadãos a exercer livremente suas atividades, no comércio, na agricultura e em qualquer outro terreno, de modo que o agricultor não deixe de enriquecer suas propriedades pelo temor de que lhe sejam arrebatadas e o comerciante não deixe de desenvolver seu negócio por medo de impostos. Pelo contrário, deve instituir prêmios para os que quiserem realizar tais coisas e para todos os que, por qualquer maneira, pensarem em ampliar sua cidade ou seu Estado. Além disso, deve, nas épocas propícias do ano, proporcionar ao povo festas e espetáculos. E como todas as cidades estão divididas em artes ou corporações de ofício, deve ocupar-se muito destas, indo a seu encontro algumas vezes, dar provas de afabilidade e generosidade, mantendo sempre íntegra, contudo, a majestade de sua dignidade, a qual não deve faltar em nada.

CAPÍTULO XXII

Dos ministros dos Príncipes

Não é de pequena importância para um Príncipe a escolha de seus ministros, os quais são bons ou não segundo a prudência daquele. E a primeira conjetura que se faz, a respeito das qualidades de inteligência de um Príncipe, repousa na observação dos homens que ele tem a seu redor. Quando estes são competentes e fiéis, pode-se reputá-lo sábio, porque soube reconhecer as qualidades daqueles e mantê-los fiéis. Mas quando não são assim, pode-se ajuizar sempre mal do senhor, porque o primeiro erro que cometeu está nessa escolha. Não houve ninguém que, conhecendo *messer* Antonio de Venafro como ministro de Pandolfo Petrucci, senhor de Siena, não julgasse a este um homem de muito valor pelo fato de ter escolhido Venafro para seu ministro.

E como há três espécies de cabeças – uma que entende as coisas por si mesma, outra que sabe discernir o que os outros entendem e, finalmente, uma que não entende nem por si nem sabe ajuizar do trabalho dos outros (a primeira é excelente, a segunda muito boa e a terceira inútil) – estavam todos de acordo, necessariamente, que, se Pandolfo não estava no primeiro caso, estava pelo menos no segundo. Uma vez que se tem capacidade para conhecer o bem e o mal que outrem diga ou pratique, ainda que não tenha iniciativa própria, reconhecem-se as boas e más qualidades do ministro, exaltando as primeiras e corrigindo as segundas. O ministro, assim, não pode ter esperança de enganar o Príncipe e se conserva bom.

Mas, para que um Príncipe possa conhecer bem o ministro, há este modo que não falha nunca: quando vires que o ministro pensa mais em si próprio do que em ti, e que em todas as suas ações procura tirar proveito pessoal, podes ter a certeza de que ele não é bom, e nunca poderás fiar-te nele; e aquele que tem em mãos os negócios de Estado não deve pensar nunca em si próprio, mas sempre no Príncipe, e nunca lembrar-lhe coisas que estejam fora da esfera do Estado.

Por outra parte, o Príncipe, para assegurar-se do ministro, deve pensar nele, honrando-o, fazendo-o rico, obrigando-o para consigo, fazendo-o participar de honrarias e cargos, de modo que as muitas honrarias não lhe façam desejar outras, as muitas riquezas não lhe façam desejar maiores, e os muitos cargos não lhe façam temer mudanças. Quando, pois, os ministros, e os Príncipes com relação a estes, são assim, podem confiar uns nos outros: de outra forma, o fim será sempre mau para uns e outros.

CAPÍTULO XXIII

De como se devem evitar os aduladores

Não quero deixar de tratar de um capítulo importante sobre um erro do qual os Príncipes só com dificuldade se defendem, se não são muito prudentes ou não fazem boa escolha. Refiro-me aos aduladores de que as cortes estão cheias; porque os homens se comprazem tanto nas coisas próprias e de tal modo se enganam nestas que é com dificuldade que se defendem dessa peste; querendo-se evitá-la, há o perigo de se ser desconsiderado, pois não há outro modo de guardar-se da adulação, senão fazer com que os homens entendam não te fazer ofensa por dizer a verdade; mas, quando todos podem dizer-te a verdade, faltar-te-ão ao respeito. Um Príncipe prudente deve, portanto, conduzir-se de uma terceira maneira, escolhendo em seu Estado homens sábios, e só a estes deve dar o direito de falar-lhe a verdade a respeito, porém, apenas das coisas que ele lhes perguntar. Deve consultá-los a respeito de tudo e ouvir-lhes a opinião e deliberar depois como bem entender e com os conselhos daqueles, conduzir-se de tal modo que eles percebam que com quanto mais liberdade falarem, mais facilmente suas opiniões serão seguidas. Além destes, não se dispor a ouvir mais ninguém, ater-se ao que deliberou e não voltar atrás em sua deliberação. Procedendo de outro modo, o Príncipe ou é confundido e arruinado pelos aduladores ou varia muitas vezes de parecer; daí se origina a falta de confiança. Quero, a esse propósito, aduzir um exemplo moderno: o bispo Lucas, homem de Maximiliano, o atual imperador, falando de sua Majestade, disse que este não se aconselhava com pessoa alguma, mas também nunca se fiava unicamente em seu próprio juízo; isso se explica pelo fato de ele não seguir nunca tal conselho, pois o imperador, sendo homem discreto, não comunica seus desígnios a ninguém e a ninguém pede parecer. Mas, na ocasião de pôr em prática suas decisões, os desígnios começam a ser conhecidos e manifestos, e, pois, a ser contraditos pelos que lhe estão em torno, e compreende-se então facilmente que o imperador se afasta do que tenha resolvido. Daí resulta que as coisas que faz em um dia destrói no outro, e que não se saiba nunca o que ele quer, e ninguém pode prever suas deliberações.

Um Príncipe deve, portanto, aconselhar-se sempre, mas quando ele entender e não quando os outros quiserem; antes, deve desestimular a todos de aconselhar alguma coisa sem que ele solicite. Todavia, deve perguntar muito e ouvir pacientemente a verdade acerca das coisas perguntadas. Até, achando que alguém, por qualquer temor, não lhe diga a verdade, não deve o Príncipe deixar de mostrar seu desprazer. Muitos entendem que os Príncipes que granjearam fama de prudentes devem-no não à sua natureza, mas aos bons conselhos dos que lhes estão ao redor. É um erro manifesto, porque é regra geral, que não falha nunca: um Príncipe que não seja prudente por si mesmo não pode ser bem aconselhado, se por acaso não acatar o juízo de um só, muito sábio, que entenda de tudo. Esse caso podia acontecer, mas duraria pouco, porque aquele que governasse de fato em breve tempo lhe tomaria o Estado. Mas aconselhando-se com mais de um, um Príncipe que não seja sábio não terá nunca unidade de conselhos nem saberá por si mesmo harmonizá-los. Cada um dos conselheiros pensará como quiser, e ele não saberá corrigi-los nem ajuizar a respeito. E não pode ser de outra maneira, pois os homens sair-te-ão sempre maus, se por necessidade não se fizerem bons. O que se conclui daí é que os bons conselhos, de onde quer que provenham, nascem da prudência do Príncipe, ao passo que a prudência do Príncipe não depende dos bons conselhos.

CAPÍTULO XXIV

Por que os Príncipes da Itália perderam seus Estados

Se forem observadas prudentemente as coisas referidas, o Príncipe novo parecerá de ascendência antiga e se tornará assim mais seguro e firme no Estado do que se ele de fato aí estivesse há muito tempo. Um Príncipe recente é muito mais vigiado em suas ações do que um hereditário, e quando essas ações revelam virtude, atraem muito mais aos homens e os obrigam muito mais do que a antiguidade do sangue. É que os homens são muito mais sujeitos às coisas presentes do que às passadas e, quando encontram o bem naquelas, alegram-se e nada mais procuram; antes, tomarão a defesa do Príncipe se este não falhar nas outras coisas a suas promessas. E ele dessa forma terá a dupla glória de ter fundado um principado novo e de o ter ornado e fortalecido com boas leis, boas armas e bons exemplos, assim como um antigo Príncipe terá a dupla vergonha, por ter, nascendo Príncipe, perdido o Estado por sua pouca prudência.

E, se se considerarem aqueles senhores que, em nossos tempos, na Itália, perderam seus Estados, como o rei de Nápoles, o duque de Milão e outros, encontrar-se-á neles, primeiro, um defeito comum quanto às armas, pelas razões já mencionadas; depois se verá que alguns deles ou foram hostilizados pelo povo ou, no caso contrário, não souberam neutralizar os grandes, porque sem esses defeitos não se perdem Estados tão fortes que possam pôr um exército em campo.

Filipe da Macedônia, não o pai de Alexandre Magno, mas o que foi vencido por Tito Quíncio, não tinha domínios muito extensos em comparação à grandeza dos romanos e da Grécia, que o assaltaram: apesar disso, por ser um bom militar e homem que sabia não se tornar malquisto do povo e assegurar-se dos poderosos, fez a guerra durante muitos anos contra aqueles, e se, afinal, perdeu algumas cidades, ficou-lhe contudo o reino.

Assim, esses nossos Príncipes que possuíram, por muitos anos, seus principados, para depois perdê-los, não acusem a sorte, mas sim sua própria indolência: porque não tendo nunca nas boas épocas pensado em que os tempos poderiam mudar (e é comum nos homens não se preocupar, na bonança, com as tempestades), quando vieram tempos adversos, pensaram em fugir e não em defender-se e esperam que as populações fatigadas da insolência dos vencedores os chamassem novamente. Esse recurso é bom, mas quando os outros falham; é péssimo, porém, deixar os outros remédios em troca desse.

Não desejarias cair só por creres que encontrarias quem te levantasse. Isso ou não acontece, ou, se acontecer, não te dará segurança, porque é fraco o meio de defesa que não depende de ti. E somente são bons, certos e duradouros os meios de defesa que dependem de ti mesmo e de teu valor.

CAPÍTULO XXV

DE QUANTO PODE A FORTUNA NAS COISAS HUMANAS E DE QUE MODO SE DEVE RESISTIR-LHE

Não desconheço que muitos têm tido e têm a opinião de que as coisas do mundo são governadas pela fortuna e por Deus, de sorte que a prudência dos homens não pode corrigi-las, e mesmo não lhes traz remédio algum. Por isso, poder-se-ia julgar que não deve alguém incomodar-se muito com elas, mas deixar-se governar pela sorte. Essa opinião é grandemente aceita em nossos tempos pela grande variação das coisas, o que se vê todo dia, fora de toda conjetura humana. Às vezes, pensando nisso, tenho me inclinado a aceitá-la. Não obstante, e para que nosso livre-arbítrio não desapareça, penso poder ser verdade que a fortuna seja árbitra de metade de nossas ações, mas que, ainda assim, ela nos deixe governar quase a outra metade. Comparo-a a um desses rios impetuosos que, quando se encolerizam, alagam as planícies, destroem as árvores, os edifícios, arrastam montes de terra de um lugar para outro: tudo foge diante dele, tudo cede a seu ímpeto, sem poder obstar-lhe. E, se bem que as coisas se passem assim, não é menos verdade que os homens, quando volta a calma, podem fazer reparos e barragens, de modo que, em outra cheia, aqueles rios correrão por um canal, e seu ímpeto não será tão livre nem tão danoso. Do mesmo modo acontece com a fortuna; seu poder é manifesto onde não existe resistência organizada, dirigindo ela sua violência só para onde não se fizeram diques e reparos para contê-la.

E, se considerardes a Itália, que é a sede e a origem dessas revoluções, vereis que é ela como uma região sem diques e sem nenhuma barreira, e que, se fosse convenientemente protegida pela resistência e coragem adequadas como a Alemanha, a Espanha e a França, ou as cheias não causariam as variações que há, ou mesmo não se teriam verificado. E com isso creio ter dito bastante acerca dos obstáculos que se podem opor à sorte, em geral.

Mas, restringindo-me aos casos particulares, digo que se vê hoje o sucesso de um Príncipe e amanhã sua ruína, sem ter havido mudança em sua natureza, nem em algumas de suas qualidades. Creio que a razão disso, conforme o que se disse anteriormente, é que, quando um Príncipe se apoia totalmente na fortuna, arruína-se segundo as variações daquela. Também julgo feliz aquele que combina seu modo de proceder com as particularidades dos tempos, e infeliz o que faz discordar dos tempos sua maneira de proceder. Em relação aos caminhos que os levam à finalidade que procuram, isto é, glória e riquezas, costumam os homens proceder de modos diversos: um com circunspecção, outro com impetuosidade, um pela violência, outro pela astúcia, um com paciência, outro com a qualidade contrária, e cada um por esses diversos modos pode alcançar aqueles objetivos. Vê-se que, de dois indivíduos cautelosos, um chega a seu desígnio e outro não; do mesmo modo, dois igualmente felizes, com dois modos diversos de agir, são um circunspecto e outro impetuoso, o que resulta apenas da natureza particular da época, e com a qual se conforma ou não seu procedimento. Assim, como disse, dois agindo diferentemente alcançam o mesmo efeito, e dois agindo igualmente, um vai direto ao fim e o outro não. Disso dependem também as diferenças da prosperidade, pois se um se conduz com cautela e paciência e os tempos e as coisas lhe são favoráveis, seu governo prospera e disso lhe advém felicidade. Mas se os tempos e as coisas mudam, ele se arruína, porque não alterou o modo de proceder. Não se encontra homem tão prudente que saiba acomodar-se a isso, quer por não se poder desviar daquilo a que a natureza o impele, quer porque, tendo alguém prosperado em um caminho, não pode resignar-se a abandoná-lo. Ora, o homem circunspecto, quando chega a ocasião de ser impetuoso, não o sabe ser, e por isso se arruína, porque, se mudasse de natureza, conforme o tempo e as coisas, não mudaria de sorte. O papa Júlio II procedeu em todas as coisas impetuosamente, e encontrou tanto o tempo como as coisas conformes àquele seu modo de proceder, de forma que sempre alcançou êxito. Considerai a primeira expedição que realizou em Bolonha quando ainda vivia *messer* Giovanni Bentivoglio. Os venezianos estavam contra o papa; o rei da Espanha, também. Enquanto ainda discutia com a França a respeito da expedição, começou a executá-la, pessoalmente, com violência e impetuosidade.

Essa atitude fez com que se mantivessem inativos a Espanha e os venezianos: estes, por medo, e aquela pelo desejo de recuperar todo o reino de Nápoles. De outro lado, o papa fez-se seguir pelo rei da França, porque, tendo visto que ele começara a mover-se e desejando conservar sua amizade para humilhar os venezianos, julgou não poder negar-lhe a sua gente sem com isso cometer uma injúria manifesta. Júlio realizou, portanto, com sua atitude impetuosa, o que nenhum outro pontífice, com toda a humana prudência, poderia realizar, pois se, para partir de Roma, esperasse ter todos os planos assentados e tudo organizado, como qualquer outro pontífice teria feito, jamais teria conseguido o que conseguiu, porque o rei da França teria arranjado mil desculpas, e os outros lhe teriam infundido mil receios. Não quero falar das outras suas ações, todas iguais e todas felizes. A brevidade de sua vida não lhe fez experimentar reveses; se chegasse o tempo de proceder com circunspecção, ter-se-ia verificado sua ruína, pois que ele nunca se desviaria do rumo para o qual o impelia sua natureza. Concluo, portanto, por dizer que, modificando-se a sorte, e mantendo os homens, obstinadamente, seu modo de agir, são felizes enquanto esse modo de agir e as particularidades dos tempos concordarem. Não concordando, são infelizes. Estou convencido de que é melhor ser impetuoso do que circunspecto, porque a fortuna é feminina e, para dominá-la, é preciso bater-lhe e contrariá-la. E é geralmente reconhecido que ela se deixa dominar mais por estes do que por aqueles que procedem friamente. A sorte, como mulher, é sempre amiga dos jovens, porque são menos circunspectos, mais ferozes e com maior audácia a dominam.

CAPÍTULO XXVI

Exortação para tomar e livrar a Itália das mãos dos bárbaros

Consideradas, pois, todas as coisas anteriormente referidas, e pensando comigo mesmo se, na Itália, os tempos presentes poderiam prometer honras a um Príncipe novo e se haveria matéria que desse, a um que fosse prudente e valoroso, oportunidade de introduzir uma nova ordem que lhe trouxesse fama e prosperidade para o povo, pareceu-me que há tantas coisas favoráveis a um Príncipe novo que não sei de época mais propícia para a realização daqueles propósitos. E como disse ter sido necessário, para que se conhecesse a virtude de Moisés, que o povo de Israel estivesse escravizado no Egito; para que se conhecesse a grandeza de alma de Ciro, que os persas estivessem oprimidos pelos medas; e para se conhecer o valor de Teseu, que os atenienses estivessem dispersos – assim, presentemente, querendo-se conhecer o valor de um Príncipe italiano, seria necessário que a Itália chegasse ao ponto em que se encontra agora. Que estivesse mais escravizada do que os hebreus, mais oprimida do que os persas, mais desunida do que os atenienses, sem chefe, sem ordem, batida, espoliada, lacerada, invadida, e que houvesse, enfim, suportado toda sorte de calamidades. E, se bem que tenham surgido, até aqui, certas providências por parte de alguém, que se teria podido julgar fossem inspiradas por Deus, para a redenção do país, viu-se depois como, no mais alto curso de suas ações, foi abandonado pela fortuna.[23] Assim, tendo ficado como sem vida, espera a Itália aquele que lhe possa curar as feridas e ponha fim ao saque da Lombardia, aos tributos do reino de Nápoles e da Toscana, e que cure suas chagas já há muito tempo apodrecidas. Vê-se que ela roga a Deus que envie alguém que a redima dessas crueldades e insolências dos bárbaros. Vê-se, ainda, que se acha pronta e disposta a seguir uma bandeira, uma vez que haja quem a levante. E não se vê, atualmente, em quem ela possa esperar mais do que em vossa ilustre casa,[24] a qual, com a fortuna e o valor, favorecida por Deus e pela Igreja – a cuja frente está agora –, poderá constituir-se cabeça dessa redenção. Isso não será muito difícil se vos voltardes ao exame das ações e vidas daqueles de quem anteriormente se fez menção. E se bem que aqueles homens tenham sido raros e maravilhosos, foram, todavia, homens, e as ocasiões que tiveram – to-

---

23. Provável alusão a César Bórgia.
24. Maquiavel se reporta à família Médici.

dos eles – foram menos favoráveis do que a presente: porque seus empreendimentos não foram mais úteis do que estes nem mais fáceis, nem Deus foi mais amigo deles do que vosso. É muito justa esta minha asserção: *Iustum enim est bellum quibus necessarium, et pia arma ubi nulla nisi in armis spes est.*[25] Aqui tudo está disposto favoravelmente; e onde isso se nota, não pode existir grande dificuldade para quem se dispuser a agir como aqueles a quem propus como exemplo. Além disso, veem-se aqui extraordinários fatos conduzidos por Deus, como ainda não se teve exemplo: o mar se abriu, uma nuvem revelou o caminho, da pedra brotou água, aqui choveu o maná; tudo concorreu para vossa grandeza. O que resta a fazer é tarefa que a vós compete. Deus não quer fazer tudo, para não nos tolher o livre-arbítrio e parte da glória que nos cabe. E não é motivo para maravilhar-se se algum dos já mencionados italianos não pôde fazer aquilo que se pode esperar de vossa ilustre casa e se, em tantas revoluções da Itália, em tantos trabalhos de guerra, parecer sempre que a virtude militar se tenha extinguido no país. A razão disso está em que as antigas instituições políticas não eram boas e não houve ninguém que tivesse sabido arranjar outras; e nunca coisa nenhuma deu tanta honra a um governante novo como as novas leis e regulamentos que elaborasse. Quando estes são bem fundados e encerram grandeza, fazem com que ele seja reverenciado e admirado: e na Itália não faltam motivos para a realização desse trabalho.

Aqui existe bastante valor no povo, embora faltem chefes. Observai, nos duelos e nos torneios, quanto os italianos são superiores em força, destreza e inteligência. Mas tratando-se de exércitos, essas qualidades não chegam a revelar-se. E tudo provém da fraqueza dos chefes, pois aqueles que sabem não são obedecidos, e todos pensam saber muito, não tendo aparecido até agora nenhum cujo valor ou fortuna seja de tanto realce que obrigue os outros a abrir-lhe caminho. É por isso que em tanto tempo, em tantas guerras que se fizeram nestes últimos vinte anos, todo exército exclusivamente italiano sempre se saiu mal. É o que atestam Taro, depois Alexandria, Cápua, Gênova, Vailá, Bolonha e Mestre.

---

25. "Justa, na verdade, é a guerra, quando necessária, e piedosas as armas quando só nelas reside a esperança." (Lívio, IX, I; citação adaptada por Maquiavel.)

Querendo, pois, vossa ilustre casa seguir o exemplo daqueles grandes homens e redimir suas províncias, é necessário, antes de mais nada, como verdadeira base de qualquer empreendimento, prover-se de tropas próprias, porque não existem outras mais fiéis nem melhores. E embora cada soldado possa ser bom, todos juntos tornar-se-ão melhores ainda, quando se virem comandados por seu Príncipe e por ele honrados e bem tratados. É necessário, pois, preparar essas armas, para se poder defender dos estrangeiros com a própria bravura italiana. E apesar de serem consideradas formidáveis as infantarias suíça e espanhola, ambas têm defeitos, de modo que uma terceira potência que se criasse poderia não somente opor-se, mas ter confiança na vitória. Os espanhóis não podem fazer frente à cavalaria e os suíços deverão ter medo das forças de infantaria quando as encontrarem tão obstinadas, tão fortes quanto eles nos combates. Já se viu e há de se ver ainda que os espanhóis não podem fazer face a uma cavalaria francesa e os suíços serem derrotados pela infantaria espanhola. E se bem que desse último caso não se tenha tido exemplo direto, teve-se uma amostra na jornada de Ravena, quando a infantaria espanhola enfrentou a alemã, que usa a mesma tática da Suíça: os espanhóis, valendo-se de sua agilidade, e com o auxílio de seus escudetes, haviam-se posto debaixo das lanças dos alemães e estavam certos de vencê-los, sem que estes pudessem ter salvação. E se não fosse o auxílio da cavalaria, todos eles teriam sido chacinados, efetivamente. Pode-se, portanto, conhecendo os defeitos dessas duas espécies de infantaria, organizar uma terceira que resista à cavalaria e não tema a sua igual. E disso resultará a formação de uma geração de guerreiros e a mudança de métodos. E são essas coisas que, reorganizadas, dão reputação e grandeza a um Príncipe novo.

Não se deve, portanto, deixar passar essa ocasião a fim de fazer com que a Itália, depois de tanto tempo, encontre um redentor. Não tenho palavras para exprimir o amor e entusiasmo com que seria ele recebido em todas as províncias que sofreram ataques e invasões estrangeiras, nem com que sede de vingança, com que fé obstinada, com que piedade, com que lágrimas. Quais portas se lhe fechariam? Quais povos lhe negariam obediência? Qual inveja se lhe oporia? Qual italiano seria capaz de lhe negar seu favor? Já está fedendo, para todos, esse domínio de bárbaros. Tome, pois, vossa ilustre casa essa tarefa com aquele ânimo e com aquela fé com que se esposam as boas causas, a fim de que, sob seu brasão, esta pátria seja enobrecida, e sob seus auspícios se verifique aquele dito de Petrarca:

Virtù contro a furore / prenderà l'arme; e fia el combatter corto; ché l'antico valore nell'italici cor non è ancor morto.[26]

---

26. "A virtude tomará armas contra o furor e será breve o combate; pois o antigo valor ainda não está morto nos corações italianos."

APÊNDICE

Carta de Maquiavel a Francisco Vettori

Magnifico oratori florentino Francesco Vettori apud Summum Pontificem et benefactori suo. Romae.*

Magnífico embaixador. Tardias jamais foram as graças divinas. Digo isso porque me parecia não ter perdido, mas enfraquecido vossa graça, tendo estado vós tanto tempo sem escrever-me, e eu estava em dúvida de onde pudesse vir a razão. E a todas as que me vinham à mente dava eu pouca importância, salvo àquela por que duvidava não houvésseis deixado de escrever-me, porque vos houvesse sido escrito que eu não fosse bom conservador de vossas cartas; e eu sabia que, Filippo e Pagolo exclusive, outros por mim não as haviam visto. Tive pela última missiva vossa, de 23 do mês passado, notícias pelo que fico contentíssimo por ver quão ordenada e sossegadamente desempenhais esse ofício público e animo-vos a continuardes assim, porque quem deixa seus cômodos pelos dos outros perde os seus, e daqueles não recebe satisfação. E como a fortuna ordena todas as coisas, é preciso deixá-la fazer, deixar-se ficar e não lhe opor embaraço, e esperar o tempo em que ela consinta aos homens fazer qualquer coisa, e então vos ficará bem trabalhar mais, desvelar-se mais pelas coisas, e a mim partir da cidade e dizer eis-me aqui. Não posso, portanto, desejando render-vos iguais graças, dizer-vos nesta carta outra coisa que não seja a minha vida, e se julgardes que deva trocá-la pela vossa, ficarei contente em mudá-la.

---

*. "Ao Magnífico orador e particular benfeitor florentino Francisco Vettori. Embaixador junto ao Sumo Pontífice. Roma."

Permaneço na vila, e como seguiram aqueles meus últimos casos, não estive, para ajuntá-los todos, mais de vinte dias em Florença. Tenho, até agora, apanhado tordos à mão; levantava-me antes do dia, trabalhava a paina, afastava-me com um feixe de gaiolas sobre mim, que parecia o Geta quando ele voltava do porto com os livros de Anfitrião; apanhava pelo menos dois, no máximo seis tordos. E assim estive todo o mês de setembro; depois este entretenimento, ainda que desprezível e estranho, faltou, com desgosto meu, e dir-vos-ei qual seja minha vida. Levanto-me de manhã com o sol e vou para um bosque meu onde mando fazer lenha, e ali fico duas horas a inspecionar as obras da véspera, e a passar o tempo com os lenhadores, que têm sempre aborrecimento à mão ou entre si ou com os vizinhos. E a respeito desse bosque eu vos teria a dizer mil belas coisas que me aconteceram, com Frosino da Panzano e com outros que queriam dessas madeiras. E especialmente Frosino, que mandou buscar certas quantidades sem dizer-me nada, e ao pagamento queria reter dez liras, que dizia tinha a haver de mim faz quatro anos, que me ganhou no jogo de *cricca* em casa de Antonio Guicciardini. Comecei a fazer o diabo, querendo acusar de ladrão o carroceiro, que ali fora mandado por ele, mas Giovanni Machiavelli entrou no meio, e nos pôs de acordo. Battista Guicciardini, Filippo Ginorio, Tommaso del Bene e certos outros cidadãos, quando aquela ventania soprava, cada um me encomendou uma medida. Prometi a todos e mandei uma a Tommaso, a qual voltou a Florença pela metade, porque para medir havia ele, a mulher, a criada, os filhos, que parecia o Gabaura quando na quinta-feira com seus rapazes bate em um boi. De maneira que, visto em quem estava o lucro, disse aos outros que não tenho mais madeira; e todos disso fizeram questão importante, e especialmente Battista, que enumera esta entre as outras desgraças de Prato.

 Saindo do bosque vou à fonte, e daqui à caçada; tenho um livro comigo, ou Dante ou Petrarca, ou um desses poetas menores, como Tíbulo, Ovídio e semelhantes: leio aquelas suas amorosas paixões e aqueles seus amores, lembro-me dos meus, comprazo-me nesse pensamento. Vou depois à hospedaria, à beira da estrada, falo aos que passam, pergunto pelas novas de suas terras, ouço uma porção de coisas, e noto os vários gostos e diversas fantasias dos homens. Chega enquanto isso a hora de jantar e, com minha gente, como o que esta minha pobre vila e fraco patrimônio comportam. Terminada a refeição, volto à hospedaria onde está o estalajadeiro e, ordinariamente, encontro-me com um açougueiro, um moleiro e dois forneiros. Com estes ou me entretenho o dia todo jogando *cricca, gamão*, e depois daí surgem mil contendas e infinitas insolências e injúrias e o mais das vezes se disputa um *quattrino* e somos ouvidos, não raro, a gritar, de San Casciano. Assim imerso nesta piolheira, estou com a cabeça mofada, desafogo a malignidade de meu destino, e até me contentaria em que me encontrásseis nesta estada, para ver se ele se envergonha.

    Chegando a noite, de volta a casa, entro em meu escritório: e na porta dispo minhas roupas cotidianas, sujas de barro e de lama, e visto as roupas de corte ou de cerimônia, e, vestido decentemente, penetro na antiga convivência dos grandes homens do passado; por eles acolhido com bondade, nutro-me daquele alimento que é o único que me é próprio e para o qual nasci. Não me envergonho de falar com eles, e lhes pergunto da razão de suas ações, e eles humanamente me respondem; e não sinto durante quatro horas aborrecimento algum, esqueço todos os desgostos, não temo a pobreza, não me perturba a morte: transfundo-me neles por completo. E, como disse Dante, não pode a ciência daquele que não guardou o que ouviu – noto aquilo de que pelo seu colóquio fiz cabedal e compus um opúsculo, *De principatibus*,* onde me aprofundo quanto posso nas cogitações deste tema, discutindo o que é principado, de que espécies são, como eles se conquistam, como eles se mantêm, por que eles se perdem; e se vos agradou alguma vez uma fantasia minha, esta não vos deveria desagradar; e um Príncipe, e máxime um Príncipe novo, deveria recebê-lo com prazer; portanto eu o dedico à magnificência de Juliano. Filippo Casavecchia o viu; poder-vos-á pôr a par em parte e da coisa em si, e dos argumentos que tive de eliminar, se bem que ainda eu o aumente e o corrija.

---

*. "O Príncipe", Maquiavel registrou em latim tanto o título desta obra quanto o de todos os capítulos.

Vós desejaríeis, magnífico embaixador, que eu deixasse esta vida e fosse fruir convosco a vossa. Eu o farei de qualquer maneira, mas o que me tenta agora são meus negócios certos que dentro de seis semanas terei encerrado. O que me deixa em dúvida é que estão aí aqueles Soderini, aos quais seria forçado, indo aí, a visitar e a falar. Duvidaria que, ao meu retorno, não me fosse possível apear em casa, e descavalgasse no Bargello, porque embora este Estado tenha fortíssimas bases e grande segurança, *tamen* ele é novo, e por isso duvidoso, nem aí faltam sabichões que, para aparecer, como Pagolo Bertini, causariam dano a outros e me deixariam as preocupações. Rogo-vos que tranquilizeis esse meu temor, e depois irei no tempo mencionado a visitar-vos de qualquer modo.

Falei com Filippo sobre esse meu opúsculo, se seria conveniente dá-lo a público ou não; caso conviesse, se seria bom que eu o levasse ou que vô-lo mandasse. Se não o desse fazia-me duvidar de que, não só Juliano não o leria, como também de que este Ardinghelli se fizesse as honras deste meu último trabalho. Se o desse me satisfaria a necessidade que me prende, porque eu me estou consumindo e não posso ficar assim por mais tempo sem me tornar desprezível por pobreza. Ainda desejaria muito que estes senhores Médici começassem a lembrar-se de mim se tivessem de começar a fazer-me voltar uma pedra; porque, se depois não granjeasse seu favor, eu mesmo me lamentaria, pois que quando lido o livro, ver-se-ia que quinze anos que estive em estudo da arte do Estado, não os dormi, nem brinquei; e deveria a cada um ser caro servir-se daquele que a expensas de outros fosse repleto de experiência. E a minha fé não deveria ser posta em dúvida, porque tenho sempre acatado a fé, não vou agora rompê-la; e quem foi fiel e bom quarenta e três anos, que eu tenho, não deve poder alterar sua natureza; e da minha fé e bondade testemunho é a minha pobreza.

Desejaria, portanto, que ainda me escrevêsseis aquilo que sobre esta matéria vos pareça, e a vós me recomendo. Sejais feliz.

Florença, 10 de dezembro de 1513,
Nicolau Maquiavel

MAPA. Itália em 1500.

Este livro foi impresso pelo Lar Anália Franco (Grafilar)
em fonte Minion Pro sobre papel Ivory Bulk 65 g/m²
para a Edipro no outono de 2025.